Pays-Perdu

D0245618

André Cartier

Pays-Perdu

Stanké

Données de catalogage avant publication (Canada)

Cartier, André, 1945-

   Pays-Perdu

   ISBN 2-7604-0582-6

   1. Titre.

PS8555.A772P39   1997   C843'.54   C97-940493-2
PS95555.A772P39 1997
PQ3919.2.C37P39 1997

Couverture :   Tex Lecor – Paysage de Saint-Hilarion *(Illustration)*
              Standish Communications *(Conception graphique)*
Infographie :   PageXpress

Les Éditions internationales Alain Stanké bénéficient du soutien financier du Conseil des Arts du Canada pour leur programme de publication.

©Les Éditions internationales Alain Stanké, 1997

Tous droits de traduction et d'adaptation réservés ; toute reproduction d'un extrait quelconque de ce livre par quelque procédé que ce soit, et notamment par photocopie ou microfilm, strictement interdite sans l'autorisation écrite de l'éditeur.

ISBN 2-7604-0582-6

Dépôt légal : Bibliothèque nationale du Québec, 1997

Les Éditions internationales Alain Stanké
1212, rue Saint-Mathieu
Montréal (Québec) H3H 2H7
Tél. : (514) 935-7452
Téléc. : (514) 931-1627

IMPRIMÉ AU QUÉBEC (CANADA)

Remerciements

Merci à Puce Cartier pour sa présence, son encouragement silencieux et sa patience.

Les situations et personnages décrits dans ce roman sont fictifs.

Lorsqu'une histoire d'amour s'éloigne du cœur pour s'égarer dans une tête immature, elle meurt !

Première partie

«Les femmes sont là pour nous décharger des fardeaux de la vie!»

Mon père, jour après jour, accouchait de phrases comme celle-là sans trop comprendre ce qu'elles et ce qu'il voulaient dire.

Cette maxime paternelle s'est imprimée dans mon cerveau naïf, s'est érigée en doctrine et est devenue ma foi!

Depuis, je m'attache aux femmes; elles allègent les aléas poignants de ma vie!

Le court voyage et l'arrivée

Je suis une espèce d'abandonné résigné, le nez perdu dans la vitre du train; de là, je regarde rapetisser ou grandir un souvenir désappris. Tout ce qui défile, chevauché d'empreintes dégoûtantes de crasse, vallons, plaines, boisés..., boisés, plaines, vallons..., ranime une monotonie de l'enfance.

— C'est beau!

Enfant, je me parlais souvent. Murmurer remplissait le vide, j'étais moins seul. Aujourd'hui encore, je pense *niaiseusement* à mi-voix, car partir travailler dans ce coin de pays où personne – à moins d'y être poussé – ne souhaite aller m'embrouille de peurs!

— C'est vrai! Mais c'est cent fois plus beau l'hiver!

Une bouille sympathique sourit devant moi; un gros homme s'enorgueillit que je m'extasie sur la beauté du lieu qui l'a vu naître.

Aussitôt, je me renfrogne; le gaillard au regard débordant de gaieté se détourne.

Ce coin de pays, on se l'imagine des plus reculés. Pourtant, il n'y a que quelques sauts à faire de la gare où je

m'embarque – m'enfuis – dans une voiture de train pous-
siéreuse qui empeste le parfum bon marché, le cigare et les
plus qu'écœurants relents de bestiaux, pour y atterrir. Je ne
suis donc pas cul assis très longtemps.

Un sifflet hystérique se met à siffler, stressant ; un
contrôleur soliloque, voiture après voiture, avec tant de
lassitude que personne ne s'entend sur le nom du prochain
arrêt.

Moi, je me doute bien que c'est l'arrivée !

Debout, je tire ma valise du porte-bagages au-dessus de
la banquette, mais l'entêtée se cabre, pas question pour elle
d'exil dans ce trou ; ses attaches rivetées se rebiffent, obsti-
nées. Irritables, mes forces mugissent, molestent l'insoumise
et, vacillant, la poignée dérivée dans la main, je sombre dans
le giron mollet du voyageur assis de l'autre côté de l'allée.
Prestement soulevé, retourné, je proclame mon innocence
quand un pli de poitrine plantureuse, foudroyant, m'éblouit.

Quels seins guillerets !

Yeux exorbités, bouche pleurnicheuse, la « Magnifique »
palpe son avant-bras endolori.

Au comble de l'épouvante qui la rend plus « faible
femme » encore à ma clairvoyance de féministe dévoué, je
lance n'importe quoi :

— C'est congénital vous savez.

Ah ! le manque de tact des mâles ! Ah ! le féminisme
bafoué !

Paf ! Elle gifle ! sec ! dur ! Le train ralentit, crisse, s'arrête.

Vite, je baise la main peu aimable, saisis la coupable de
mon humiliation – la valise –, et enjambe avec l'agilité du
sprinter olympique les quelques mètres qui me séparent de
la porte, puis de la passerelle.

Le train repart. Sans regarder sur qui ou sur quoi je
risque de m'écraser, je saute.

Sur un homme !

Lui et moi, un peu sonnés, nous nous emmêlons l'un à
l'autre, étendus sur le quai. Je débite de plates excuses,
quand sa voix grêle, doublée d'un cocasse défaut de diction,
me fait pouffer de rire. Il s'offusque, libère le bras, le mien,

qu'il s'était hâté de prendre, courtois, secoureur. Aussitôt – contraint de feindre d'avoir mal –, mes rires se muent en plaintes glapissantes, en cris atroces.

— Qui êtes-«f»ous?

Il est drôle! Je grimace, simulant une douleur à la cheville.

— Je suis... C'est moi l'instituteur!

— Ah! «f»'est «f»ous?

Décidément, il met des «f» partout!

Ma tête remue un Oui!

— *Bienfenue*, je *fuis* le maire!

Il se lève et pince ses doigts sur les plis défraîchis de son pantalon.

Vous fuyez? Je cache l'ébauche d'un ricanement insolent dans ma réponse :

— Ah! enchanté! C'était pas la peine de vous déranger.

Pendant que je me ramasse avec la valise-manchote, il proteste, triste, songeur :

— Ah! mais oui! Il y a si *feu* de monde qui *feut fenir* ici!

Je décode et pense : Je sais! Je sais!

— *Fenez!*

— Je *fiens!*

Ça m'a échappé. L'a-t-il entendu?

Je déambule derrière le bonhomme mi-long mi-court, au torse bombé de porte-étendard de défilé.

Tu vois, ça commence bien! Je m'encourage.

La parade

À voir l'hébétude des physionomies que je croise, heureusement il n'y en a qu'une poignée, je suis *épeurant* ou j'ai l'air demeuré! J'ai chaud, j'ai l'idée d'ôter ma veste. Vite, mon éclaireur hâtant le pas, je le rattrape empêtré dans mon barda, le veston qui sangle mes biceps suants, clopin-clopant.

Sur une étroite route campagnarde où deux voitures ne se croiseraient qu'en rêve, nous avançons et apparaissent une, puis deux, puis trois maisonnettes. C'est à la fois charmant et troublant. Chacune laisse voir une architecture distincte qui s'harmonise avec l'aménagement paysager, la petite remise ou le mini-garage. Tout est si miniaturisé que j'ai l'impression de fureter dans un conte de fées.

Toujours devant moi, mon guide parade. Son bras droit, qu'il agite maintenant de haut en bas, évoque la fière démarche du batteur de mesure dans une fanfare. Je l'accompagne, en cadence nous défilons et ma bouche imite le son de la grosse caisse :

— Boum, boum, boum...

Allons-nous arriver ? Où allons-nous ?

D'un seul coup, une faune curieuse pullule, fourmillant de p'tits yeux dévoreurs qui me dévisagent. Je m'interroge à savoir si je voile ma gêne naissante à la musulmane ou si, au contraire, je les amadoue en leur étalant mes dents moyennement blanches ? Que le sourire l'emporte ! Mon attitude leur plaît car, surexcités, ils me montrent du doigt. Je les salue de ma main libre, la gauche, et ils se détendent eux aussi, mains frétillantes, pleines de *tatas*.

Le paradeur me jette un regard furtif, alors je trottine vers les confidences. Je cabriole, lance à la volée mes salutations aimables et presse sur ma poitrine ma valise à la défunte poignée. Qu'il marche vite l'animal !

— Oui, vous m'appelez ?

Il ne se tourne ni ne ralentit et me demande :

— *Fous* aimez ?

Je décode...

— Charmant ! J'aime bien ! et le maire jubile, comblé.

Heureux homme ! puis son enjambée allègre s'accélère. Moi, bouffi d'attente, j'espère un peu plus une sorte de reprise ; y'en aura pas. Je le resuis.

À présent, les curieux s'amassent, si denses, si grouillants aux lisières de cette interminable traversée qu'ils bouchent complètement le panorama à ma curiosité. C'est là qu'on fait halte brusquement. Mon hôte s'immobilise sans crier gare et, comme à notre première rencontre, je rentre dedans de toutes mes vigueurs surprenantes ; je l'ensevelis sous ma maladresse. Ayant refait mes excuses, repris mon bagage qui lui écrabouille la face, je roule sur le côté.

L'œil serein, l'air céleste, le maire geint – manque brutal d'oxygène, je suppose.

Empressé, je le relève ; on s'époussette mutuellement.

Les présentations

La muraille de têtes bigarrées, obtempérant à un ordre du maire de s'écarter, s'écarte. Sur la galerie chargée des lourdes colonnades de la maison assez spacieuse – la sienne ? –, de bons vivants endimanchés sourient de toutes leurs gencives découvertes, à l'enchantement de me rencontrer.

Le maire ne tarde pas et monte l'escalier. Du doigt, il pousse une boulotte assez fraîche, susceptible de mettre en appétit n'importe quel anorexique vertueux.

— Ma femme !

Tiens, pour une fois il prononce bien le mot ! J'arbore un sourire, ce qui laisse croire à la dame que je suis ravi de la rencontrer, elle qui frétille d'émoi, en chair et... en chair ; oui, elle est plutôt forte de-ci de-là. Embarrassé, je dépose ma charge encombrante sur le sol, remets ma veste pendant qu'elle avance. Elle descend deux des trois marches pour vite me coincer entre ses protubérances. Je parais menu, un chérubin étouffé dans une gorge chaude et moite.

Une fois libéré et mon souffle retrouvé, j'attends la suite des présentations officielles. J'avoue que j'y prends goût et délaisse mes tristesses du train.

Le maire braque maintenant son index gauche vers un homme tout en os et la «première dame» reprend sa place près d'une colonne.

Bizarre ! Ma mère m'a souvent dit de ne jamais, mais jamais pointer quelqu'un du doigt !

Je propose main et sourire à l'individu qui se meut péniblement, mais lui aussi m'accole, arrêté sur la même marche, avec moins d'ardeur cependant, que la chère mairesse. Pour dire vrai, c'est un maigre, un cassant ; impossible pour lui de

m'écrabouiller sur son poitrail décharné que je sens squelet-
tique. Totalement osseux! Ce que le tissu habille est présage
de l'emploi assuré du squelette dans le cours d'anatomie
d'une faculté de médecine à l'université.

Suivant! expriment les phalanges magistrales du magistrat visant un autre personnage qui ne se fait pas prier pour
remplacer le squelette que je décroche. Un petit homme
rond comme un ballon gonflé à bloc bondit, contourne le
paquet d'os qui, avec difficulté, regagne sa place. Je ris dans
un recoin de ma tête, car ce que je vis là est la répétition
burlesque de chaque arrivée officielle dans ce pays. Ancré
sur la « fameuse » marche, le ballon m'enlace. Il m'arrive à la
hauteur des épaules, je contemple son début de calvitie.
Nos yeux se sondent intensément; de ses nombreux trous
sans dents il crachote des postillons entrecoupés de rires
faibles, et il me resserre très très fort. Attendri, j'aime que
l'on m'aime, à mon tour je le presse. Il est bien mollet, un
superbe de beau ballon mollet!

Cette masse de gens serrée de près lance à tout moment
« Oh! » ou « Ah! » – sa façon d'extérioriser la sympathie
qu'elle porte à « il », ou « elle », qui m'est présenté.

Le maire tapote l'épaule mœlleuse du ballon pour qu'il
lâche prise; à regret celui-ci obéit. Ensuite, une autre personne est invitée à approcher. C'est la seconde et dernière
représentante de la gent féminine; oui, y'a qu'elle et la gras-
souillette de cette belle espèce, adossées aux colonnes.
Mince, grande, belle à faire damner un séminariste, elle
trotte sur ses hautes jambes; sa main fine, qui pend au bout
de son bras élancé, s'offre. Il faut qu'elle m'étreigne elle
aussi! Il faut qu'elle m'étreigne! Ma dentition resplendit,
mon physique original se solde en prime. Eh non! Rivée au
milieu de l'escalier, elle attend, tendue. Je ne sais plus. Est-
ce que je la bécote, la menotte, ou la serre? Je la baise et la
cohue émerveillée se pâme : « Ah! » La jolie revient à sa case
de départ, je suis déçu.

Il ne leur reste qu'un type massif à exhiber. Cette fois-
là, rien ne se fait, rien ne se dit. L'homme, de carrure
imposante, fonce vers moi, tel un gorille en rut sur sa

choisie. J'ai peur et je recule d'un pas. Lui, se fige raide, allonge ses bras, m'attrape aux épaules, sangle mes dix doigts et me secoue. Devenu pantin malgré moi, j'amuse la foule qui glousse «Oh!» et bat des mains. Après un assez long temps, le gorille se ressaisit et recule dans le rang.

C'est fini! Non! Le maire gesticule exagérément dans l'espoir de calmer son monde.

— Mes amis! Assez, mes amis! J'ai le *flaisir* de vous *frésenter* aujourd'hui celui qui succédera désormais à madame Lamothe, décédée dans un accident de la route, il y a... Nous l'aimions la Lamothe, n'est-ce *fas*?

L'assistance affectée étrangle des «Ah!».

— Il tentera donc de nous la faire oublier. N'est-ce *fas*, monsieur... Monsieur?

Sur une note qu'il sort rapidement d'une des petites poches du gilet de son costume trois pièces, il cherche mon nom. Je veux le crier mais il ajoute :

— Je l'ai! Je l'ai *frès*!

Tous le désirent, ce patronyme : la mairesse farfouille les différentes fentes du maire; Squelette, Ballon, Gorille, Jolie s'interrogent à qui mieux mieux sur mon identité. Le troupeau, lui, patiente; contrairement à son habitude il demeure muet, sidéré.

— Eurêka! que le maire soupire. Enfin!

Visage en sueur, les sourcils pleins de soucis, avec cette mine d'acteur qui, après un effroyable trou de mémoire, voit transparaître la lumière au bout de l'angoissant tunnel, il se souvient.

— *Fetitclair!*

— Petitclair! que je précise.

— Oui! Fetitclair, je sais! Fetitclair! Fetitclair! Fetitclair!

Il le trompette avec tant d'évidence, si heureux de se le rappeler que, d'emblée, l'assemblée transportée hurle Fetitclair! applaudit, délire d'allégresse.

Je me fais à l'idée que mon nom sera désormais Fetitclair!

La rondouillarde m'invite à gravir les marches «symbo-liques» d'une voix chaleureuse :

— Bienvenue à l'hôtel de ville !

Ah ? C'est l'hôtel de ville ? J'aurais dû y penser !

— Allez, grand coquin, entrez ! Elle me pousse du côté de la porte.

Le goûter

Au milieu d'une grande salle trône une table sur laquelle s'étale un léger goûter éparpillé çà et là sur une nappe froissée et jaunie. Des petits canapés tous plus dégoûtants les uns que les autres, rescapés d'une lointaine réception des plus officielles, se dessèchent, collés à leurs serviettes pliées. Ils font pitié à voir, j'ai des haut-le-cœur. Gorille, Squelette, Ballon se *garrochent* sur eux ; Jolie se tient à l'écart. Ils les engouffrent les uns après les autres, tels des broyeurs à déchets, ne prenant pas le temps de les décoller du papier. Leurs cris de désespoir, je les entends. Pauvres petits !

La mairesse, qui me suit, me tasse légèrement l'arrière-train. Je n'en fais pas de cas – les affamés se bousculent sûrement derrière ! Pourtant, lorsque je me tourne pour bavarder avec elle, y'a personne aux alentours. Elle se frotte tout bonnement sur la fermeté de mes chairs, à mon grand étonnement, et m'appâte avec ses rondeurs fringantes. Habilement, je me faufile entre Gorille et Ballon qui bouffent comme des goinfres, puis là, un peu coincé, j'esquive ses regards concupiscents qui me dévorent au lieu des tranches de pain garnies ; je comprends ! Durant de longues et de lentes minutes je plisse, intimidé, un sourire crispé sur mes lèvres et me laisse grignoter.

Le maire, dehors avec son peuple j'ignore pourquoi, se décide à entrer dans son hôtel de ville. Il pose une main sur sa dulcinée qui tressaute et émet un cri terrifiant :

— Wahhhhh !!!

Les invités se paralysent.

— Mais voyons, n'aie pas *feur* chérie, c'est que moi ! De sa poigne expérimentée et en bon père de famille il malaxe les bourrelets débordants de frayeur de sa ronde moitié.

Rassurés, tous se remettent à ingurgiter, indécents, vrais cochons, si bien que, vite, il n'y a plus rien !

— Mais non *foyons*, c'était pour notre nouvel arrivant.

Confus, il dit des idioties. Je m'écrie :

— Mais non, voyons ! Le voyage m'a fatigué, je n'ai pas faim !

Un gros Ah ! qui soulage s'évacue des gosiers bourrés. Cependant, le maire est mécontent et part réprimander les trois broyeurs ; il m'abandonne à sa dodue qui s'amène vers moi en glissant ses semelles de souliers sur le parquet, une vraie geisha !

Hardis, ses doigts goulus derrière mon dos pétrissent mon anatomie, ça démange ! Sans prévenir, les cinq fouineurs dévalent *adagio* une à une les vertèbres jusqu'à ma taille, et se frayent un chemin entre le pantalon et le pan de la chemise. Je veux bâillonner un lent geignement de surprise, de plaisir et de gêne. Impensable !

— Ahhhhh !!!

Finies les papouilles ! Repentantes, ses rondes mains s'unissent, séquestrent sa témérité d'étourdie qu'assurément je pardonne.

Le maire et les gloutons m'examinent ; à la hâte ils accourent pour s'enquérir de ma santé car, pour eux, je défaille.

— Attendez ! murmure le maire, tirant une chaise à fond d'osier qui bâille d'usure. Asseyez-*fous* mon ami, nous ne *foulons* pas vous épuiser avec notre cérémonie. Nous ne *foulons* pas vous perdre comme cette pauvre Lamothe ! Son ton m'éclabousse de sa compassion.

Émues, les têtes se penchent, recueillies, profondément touchées par les propos du maire.

— Bon ! propose l'autre, la mairesse pénitente. Il serait grand temps d'aller montrer à ce Fetitclair ses magnifiques quartiers.

Tous applaudissent. Le plus gros de la foule, resté à l'extérieur, ignorant pourquoi de l'intérieur on claque des mains, participe au débordement d'enthousiasme à son tour. Alors qu'un mal de bloc malfaisant se pointe, la replète famélique zieute à la dérobée un de mes endroits on ne peut plus intimes.

Aidé du maire qui me chatouille l'aisselle droite, me soutient, aidé de Gorille qui rote ses goinfreries et me chatouille l'aisselle gauche, je sors de l'hôtel de ville. Jolie, Squelette, Ballon, Mairesse suivent. À peine sautons-nous de «la» marche que la foule se scinde en deux comme une mer rouge de bouches et scande mon nom nouveau :

— Fetitclair! Fetitclair! Fetitclair!

Mon crâne éclate. Je me bouche les oreilles de mes mains pour étouffer le son, mes chatouilleurs me lâchent; Dieu merci! l'insatiable intéressée, la collante, m'empoigne par la croupe. «Oh!», font la plupart des gens. Le maire s'insurge :

— Rose, de la tenue, c'est à nous de le porter.

Elle me relâche après m'avoir bien peloté. Je profite de la confusion pour retrouver mon aplomb pendant que le maire ordonne à son peuple :

— Assez pour aujourd'hui, rentrez chez vous!

Incroyable! Leur déception s'élève dans des «Ah!», des «Oh!», puis le peuple se dissipe. La façade de la mairie se dégage totalement.

D'où tient-il son pouvoir? Je le fixe dans ses rétines.

— Vous *fenez*? qu'il sourit bienveillant.

De la tête, j'acquiesce.

Gorille m'attrape...

— Non! Non merci! Je vais mieux, beaucoup mieux, merci!

Le maire ouvre la marche d'un bon pas et nous le talonnons; il y a moi, Gorille, la mairesse, Ballon qui se cure des dents manquantes avec un doigt, Jolie qui compte des graviers sur le sol et Squelette qui craque de partout.

Mes quartiers

Le parcours de l'hôtel de ville à mes quartiers, je le parcours sans trop m'en rendre compte ; pour moi c'est une promenade, une visite guidée, le tour du propriétaire ; je découvre une autre partie de ce village et j'aime ces petites maisons disparates. Laquelle est la mienne ? Le grand air me faisant le plus grand bien, je remplis à volonté mes poumons. Mon affreux mal de tête s'éloigne, accompagné des attouchements cavaliers de madame la mairesse flanquée de ses trois broyeurs ; Jolie, elle, vogue dans mes pensées. À plusieurs reprises je la touche d'un coup d'œil ; mais elle ne le sent pas, du regard elle dévore toujours le sol. Je l'oublie et, cheveux dans le vent, sourire aux lèvres, j'avance.

Soudain, le maire s'immobilise devant une construction si minuscule que je l'imagine être une remise. Je cherche de tous côtés pour voir la maison qui s'agence avec elle ; y'en a pas. Elle vit solitaire sur un terrain exigu et a l'aspect d'une mauvaise herbe poussée là, emmenée par les vents, les oiseaux.

— Vous voilà chez vous ! qu'ils claironnent en chœur.

Surpris du synchronisme de leurs propos, ils rigolent ; des rires forts et si discordants que je ris avec eux, mais d'eux. De m'entendre on aurait pitié car mes ricanements ressemblent à des hoquets.

La mairesse, tout émoustillée, dans ma main dépose une clef, puis ses lèvres rouge cerise susurrent à mon oreille :

— J'ai un double !

Elle se lace à l'avant-bras de son homme et s'éloigne en me lançant des œillades câlines. Les autres se volatilisent dans les nombreuses venelles. Qui a trimballé ma valise handicapée ? Elle est là, sur l'herbe. Mes mains la soulèvent, je la serre dans mes bras, telle une inséparable amie et je marche vers la cabane. La clef hésitante s'insère dans sa serrure et la porte s'entrouvre.

Elle n'était ni fermée, ni barrée ?

Je pousse la porte, mes yeux se ferment ; ils ne désirent pas voir ce qu'il y a derrière cette porte. Déçu, bourré d'insécurité, je ne bouge plus; ma «fidèle» se presse sur mon cœur battant. Tremblant, fébrile – mes tristesses du train se repointent, se mélangent au bouillonnement de mon cerveau –, je m'exhorte à tenter quelque chose :

— Va!

Aveugle, je tâtonne vers l'inconnu. Mes premiers pas hésitent.

Je ne suis pas le bienvenu. Un coup violent sur le front me fait ciller des yeux; le plancher m'attaque, il sandwiche ma valise entre nous deux.

Je saigne? Ahhhh!

Je crierais bien Au secours! Mais qui m'entendrait? Je me relève. On me refrappe, à l'occiput cette fois, et je retourne au sol. À plat ventre sur ma valise éventrée de toutes parts, je me mire dans le parquet de bois franc miroitant.

Non! Je ne saigne pas!

La phrase immortelle «Si on te frappe sur la joue gauche présente la droite!» martèle ma cervelle. Stupidités! Yeux au ciel, j'examine le coupable : un lustre énorme scintillant et éteint oscille dans la pièce. Avec précaution, je me déplie.

— Il est trop bas!

Après coup, je constate que le plafond est aussi plutôt bas. Oui c'est une remise! Tout, ici, se révèle petit ou trop bas pour moi! C'est peut-être valorisant pour un nabot d'habiter un appentis. Moi, je n'apprécie pas.

— Bon! j'ai deux choix : me déplacer plié en deux ou à genoux. Je choisis le deuxième.

Troublé, une seule idée me guide : dormir! dormir au plus vite!

— Où est la chambre, «ma» chambre?

Je cherche, angoissé, «la» chambre avec mes biens.

Quand je la trouve – minuscule trou sombre –, et que je vois ce qui doit me servir de lit – sorte de grabat aux dimensions plus que réduites –, je braillerais.

Là, je comprends pourquoi pendant la parade j'avais l'impression de fureter dans un conte de fées. D'après la longueur de la couchette, je suis le Gulliver exhumé de la fiction de mon enfance. Pelotonné contre ma valise-amie, par terre, je m'endors.

Quelle belle journée !

— Ah ! Quelle belle journée !

Ma mère rabâchait invariablement cette phrase à son réveil ; mais je ne me souviens pas d'une seule journée qui se soit terminée en beauté.

Couché dans la position de la cuillère, je ceins de mes longs bras mon maigre bagage. Je suis semblable à l'amant qui, après sa première nuit d'amour avec l'amante, s'éveille l'air angélique. Mes lèvres sont en feu, prêtes aux baisers, j'écarquille mon œil langoureux et je cajole ma bien-aimée… valise, alors tout me revient à l'esprit : Maire, Mairesse, Gorille, Ballon, Squelette, Jolie, lustre, remise, lit…

Quelle horreur !

Je m'assois et, avec un de ces regards fous et inquiets qui bondit sur ce qu'il y a autour de lui, je m'interroge :

— Qu'est-ce que je fais ici ?

Allons, allons, courage, tout s'arrange ! Évidemment, je m'encourage. Courage ! Courage !

J'ai envie de partir loin, terriblement loin. Tout ça sur un coup de tête !

Je regrette ce qui est arrivé.

Courage ! Courage !

Je sais ce qui m'a poussé ici, ce qui m'a condamné à accepter cet emploi dans ce coin de pays perdu : une rupture ! Quelle tristesse !

Un frisson déplaisant déroule mon échine ; je m'apitoie sur mon sort quand on cogne timidement à la porte.

— Ah non ! Pas la mairesse ! Mais non, elle a son double !

Silencieusement, à pas de loup – à genoux de loup puisque je suis à genoux –, je me dandine jusqu'à la fenêtre près de l'entrée pour surprendre l'intrus.

Personne ? J'entends des voix, comme Jeanne d'Arc ?

Trois autres petits coups, toujours timides, se font entendre. À quatre pattes, lentement j'ouvre. Personne! De plus en plus bizarre! Je scrute, à droite, à gauche, ce qui est à portée de ma vue perçante, rien!

— Qui est là? que je murmure.

— Moi! répond un doux chuchotement frêle.

Un chant d'ange?

— Qui moi? que je demande intrigué.

Et une enfant se montre. Surpris, je referme la porte.

— Je rêve?

Pour m'assurer que ce n'est pas le cas, je frotte mes yeux énergiquement avec mes paumes. Et l'huis, doucement, s'ouvre à nouveau et la fillette est encore là.

— Qui es-tu?

— Ze dois vous emmener voir maman!

Elle zozote comme juste une petite fille sait le faire. Intimidée, elle s'emmêle les menottes.

— Maman? Maman? Connais pas!

Garrottées, ses jointures craquent sous la gêne; j'arrête le massacre et les délivre. Les pauvres, elles sont affreusement meurtries. Je frictionne les gentils doigts tuméfiés et calme la petite:

— Minute! Ne nous énervons pas, qui est Maman?

Elle est sidérée. Son visage se congestionne si vite, j'ai peur qu'elle ait une attaque.

— Aimes-tu les ananas?

Je dis n'importe quoi – dans un moment de grand brouillamini je dis n'importe quoi!

D'un sourire grimaçant, elle m'annonce qu'elle n'aime pas les ananas. Le temps se joue de nous, joue contre nous.

— Aimes-tu les pommes?

Méconnaissable, elle se boudine de stupeur, et j'angoisse, ça paraît sur mon visage; nous sommes deux à afficher des rictus dignes des meilleurs films d'horreur. Puis j'ai un éclair de génie:

— Aimes-tu ça les bonbons?

Ses traits se figent, se détendent crispation par crispation, pour renaître d'apparence enfantine. Elle reprend ses airs ingénus.

Quelle joie! Quelle joie!

Je l'enlace très fort, je ris d'effroi, pensant que j'aurais pu être, à ma seconde journée ici, un assassin de petite fille impressionnable.

Zozoteuse me repousse, ouvre grand sa main bleutée pour que je la remplisse de…

Horreur! je n'ai pas de bonbons! Le lui dire? Non! Je décide d'aller en acheter avec elle.

— Attends-moi!

Je ferme la porte à moitié et, incliné, me dirige vers la chambre; l'affreux lustre tape-à-l'œil, je le maudis en passant dessous! Dans ma valise démantibulée je cueille une chemise, un jeans froissé, et vite – je crains que la puce dehors s'énerve et s'invente que je ne reviendrai jamais –, boutonnant les derniers boutons, j'ouvre tout grand.

— Ouf! tu es là!

Ses doigts tendus s'allongent.

— Tiens, ça va mieux!

Sa main est redevenue couleur pêche, chair.

— Allons-y!

Je saisis sa menotte…

— Mon bonbon? qu'elle implore.

— Ce ne sera pas un, mais des bonbons que tu vas avoir. Emmène-moi au magasin, tu veux?

Elle sourit salivante, se délecte d'avance. Je crois reconnaître une mimique de la mairesse, mais comme elle serre ma main je n'y prête pas attention.

— Oui, quelle belle journée!

Nous sautillons à pas légers, moi et ma nouvelle amie, et nos soixante-quatre dents – ou presque – brillent au soleil.

Les bonbons

Main dans la main à travers les rues graveleuses, je retrouve les baraques disparates et ça ne me plaît plus – remise et le reste en sont les raisons – même qu'au fond de moi je ressens une légère hostilité envers ce paisible coin de pays

perdu. Suis-je xénophobe? Je n'ai pas le temps de me répondre, car je suis attiré énergiquement hors du sentier
graveleux.

— Il faut pazz'er par là, c'est un raccourz'i! La voix de
Zozoteuse est fluette.

— Toi! Pas moi!

Je résiste.

— Pourquoi?

Son pourquoi supplie.

— Jeune fille...

Je m'accroupis, ça me donne un répit pour qu'une
riposte se manifeste.

— ...je suis grand pour prendre un raccourci, et je ne
connais pas ceux chez qui nous allons nous aventurer de
l'autre côté de cette haie!

Oui, je suis satisfait de ma réponse; j'attends la sienne.

Incrédule, elle me foudroie de ses pensées, des volon-
taires, des intraitables; alors, je n'ai plus le choix.

— Bon, d'accord!

Je me redresse et me traite intérieurement de tous les
noms.

Insistants, ses deux yeux noirs, graves et scrutateurs, me
jaugent si durement que je leur échappe; les miens volet-
tent, je sifflote pour simuler un semblant de contenance.
Après plusieurs secondes, comme aucun mot n'est prononcé, je me retourne benêt, pour constater que la petite
fille n'est plus là.

— Où es-tu?

Je suis inquiet.

— Chut! Faites pas de bruit. Y'a un énorme z'hien dans
la niz'he!

J'entends une froussarde qui peut être n'importe où.

— Un chien, un chien et après?

Je crie par bravade.

— Chut...! Il est pas commode.

Cette fois, sa voix est si plaintive, je le lis sur ses lèvres
apeurées qui chevrotent à travers la haie de chèvrefeuille. Je
commence à avoir un peu peur, je marmonne :

— Pas commode! Pas commode, moi aussi je le suis, pas commode!

— Venez!

Sa main droite s'impatiente.

— Par où?

J'imite sa main et m'impatiente.

— Par là!

Elle pointe de l'index une ouverture presque imperceptible dans le large feuillage de la haie.

— J'pourrai jamais passer là-dedans!

— Mais oui! Je suis pazz'ée, moi!

J'aimerais lui démontrer qu'il y a une différence de taille entre nous deux, mais elle s'enfonce dans son damné raccourci.

— J'arrive! que je chuchote pour ne pas réveiller le chien malcommode qui suscite tant de frayeur.

Mécontent, je m'agenouille, m'engage et rampe, tel le fil dans le chas de l'étroit trou à ras de terre; centimètre par centimètre j'avance dans cette brèche de la haie que je sais d'avance trop touffue, quand une odeur bizarre gonfle mes narines.

— Qu'est-ce que ça peut être?

J'étire les bras pour atteindre le gazon vert, plus loin, à l'intérieur de la cour que borde la haie d'arbustes; je tâtonne des dix doigts et m'agrippe à la pelouse mouillée de rosée, les brins d'herbe s'arrachent à la moindre traction. Bien que l'innombrable branchage me sangle de la tête aux fesses, j'essaie de me glisser vers l'avant; je plante le bout de mes souliers dans le sol, ils ne font que strier les cailloux du sentier graveleux. Je flaire, je veux trouver le nom de cette odeur écœurante.

— Ça y est, je l'ai. Des excréments!

Je le hurle comme un: Sauvons-nous! voulant rebrousser chemin.

— Qu'est-ce que t'as?

Zozoteuse est là, je ne vois que ses chaussures, car les ramures serrées me retiennent par les cheveux.

— C'est plein d'excréments.

— De quoi ?

Elle ne comprend pas.

— De crottes ! Oui, de crottes de ton chien malcommode !

Ses rires éclatent, des rires frais, des rires échevelés ; puis un redoutable aboiement vient gâcher son plaisir. Épouvantée, elle se traîne contre mon flanc gauche pour fuir. Elle tressaille tellement qu'autour de nous la feuillée frémit.

— Wouf, wouf !

Les jappements sourds entremêlés de grognements se rapprochent. Elle est presque arrivée au sentier, il ne lui reste que ses deux petites jambes toutes blanches, gigotantes, à passer de l'autre côté de la haie.

Longtemps après, lorsque ma mémoire me rappellera l'image de deux mollets « terrifiés », fringants, au duvet hérissé de frayeur, je sentirai – j'en suis sûr – à jamais le souffle humide, puant, de « Malcommode » dans mon cou.

Nous faisons connaissance ! Incapable de me sauver, je suis comme épinglé aux nombreuses ramilles. Face contre terre, je devine la truffe froide du chien dans mon cou ; elle renifle ma nuque, m'enfonce le visage avec rage dans un terreau imprégné de ses odeurs.

Le message est facile à déchiffrer :

— C'est mon territoire !

Je lève la main droite pour abdiquer – je ne suis pas pour le courage absolu –, et cherche à soulever ma tête pour cracher ce que j'ai dans la bouche, mais il pose ses deux pattes sur mes épaules, et son museau dans mes cheveux. Je suffoque. Une plainte s'échappe de mes narines plantées dans ses matières fécales. Ça le surprend, il s'éloigne. Enfin, j'ouvre les yeux, reprends mon souffle et vomis ce que je mâchouille. Lui, croit que c'est un jeu, car il jappe, saute en face de moi. C'est là que je découvre le veau.

Car, c'est un veau ! Un énorme chien changé en veau ! Le mauvais sort sans doute !

Il cabriole sur ses pattes arrière, émet des sons qui peuvent difficilement correspondre à des jappements. De mes mains, je me nettoie le visage, toujours prisonnier de la

haie, et lui me regarde, assis ou sautillant, pataud, disgracieux.

— Zozoteuse! Où es-tu?

— Iz'i!

Je découvre au milieu du vert deux genoux blêmes qui
veillent, agités.

— Tu es saine et sauve!

L'autre aboie; ses griffes de chien changées en ergots de
veau « flattent » ma chevelure, et ces grotesques attouchements égratignent la chair de mes mains impuissantes à
l'arrêter.

— Assez, couché!

Je m'exaspère.

À ma grande surprise il pose sa truffe éléphantesque par
terre. Nous sommes face à face : il soupire, je fulmine. Il
pue, je pue. Il sourcille, je sourcille. Il m'admire, je m'abandonne à son admiration. Dans mes paumes, pour réfléchir,
je dépose mon menton; il m'imite. Épaté, je souris. Un court
instant, lui aussi sourit. Pauvre fou, un chien ça ne sourit
pas, encore moins un chien devenu veau!

— Pourquoi t'es maintenant un veau, chien?

Il tourne sur lui-même, saute sur ses pattes difformes, se
tient en équilibre sur celles de derrière, cache sa boîte crâ-
nienne dans celles de devant; pour finir sur le dos, pattes en
l'air. Nous venons d'assister au spectacle du chien-veau qui
fait le mort.

Je regarde vers Zozoteuse.

— T'as aimé?

Ses jambes ne tremblent plus.

— Oh oui, il est beau!

— Beau?

Je suis horrifié. Pas beau, sympathique peut-être, mais
pas beau.

— Oh oui, beau!

Et elle applaudit.

Le veau, qui apprécie au plus haut point l'ovation nour-
rie, recommence son spectacle. Un rappel.

Cabotin!

Je profite de son triomphe pour me dégager de la haie, avec facilité je dois dire.

Lorsqu'il s'aperçoit qu'il est seul de son côté, le chien-veau hurle. Moi, j'efface les traces de cette aventure malheureuse qui me transforme en bagnard repoussant. C'est insupportable à entendre. Il se tait quand il se rend compte que, nous, nous sommes complètement indifférents. Non ! Je me trompe. Il ne gueule plus parce qu'il nous rejoint. Tête première, il fonce dans la muraille de feuilles, passe au travers facilement et, fier comme Artaban, il s'approche de nous, branlant du derrière d'un déhanchement de danseuse de baladi à son déclin.

Nous nous observons, Zozoteuse, le veau, moi ; et je me demande : qui de nous trois va parler le premier ? C'est lui ! Il jappe de contentement, bave son euphorie. C'est dégoûtant. Ses babines d'où dégouline une salive poisseuse frôlent mon jeans. Tout de suite, ma cuisse est mouillée. Je veux blasphémer, mais Zozoteuse zézaie :

— Tranquille z'hien !

Sur ses fesses poussiéreuses il s'assoit et balaie les cailloux avec ce qu'on lui a légué pour queue.

Zozoteuse sourit au veau, Chien-veau admire Zozoteuse, pendant que je grommelle des jurons inaudibles en me frottant aux arbres pour décoller la bave répugnante du monstre innommable.

— Mes bonbons !

Elle crie, rit bizarrement comme si elle entrait en transe.

Alors, le mastodonte se remet à bondir ; mais cette fois de manière si étrange – soyons franc, si débile – qu'elle et moi nous nous tordons de rire à avoir envie de pisser. Il s'interrompt intrigué quand il nous voit pliés en deux, quand il se voit pointé du doigt. Nous pleurons, et lui cherche le pourquoi de nos rires, de nos pleurs. Exaspéré, il se rue sur moi et me plaque au sol. Sa langue lèche mon visage, ses papilles enduites d'un mucus visqueux humectent ma peau d'un arôme infect.

— Assez, assez !

Je m'égosille sans succès jusqu'à ce que Zozoteuse m'aide. Enjouée, elle tape des mains et scande :

— Bonbons, bonbons !

L'air perdu, le veau se tient près d'elle et attend gentiment.

— Il les z'aime les bonbons !

Je fulmine, enragé, humilié, et retiens les grossièretés que ma cervelle rumine. Je comprends pourquoi on a jeté un mauvais sort à ce chien, c'était indubitablement le mouton noir, le *chien noir* de la portée !

Comment faire disparaître les puanteurs qui émanent de mon être ? Je viens d'être violé ! Oui, violé !

— Allons-z-y !

Agacé, je rugis et rosse mes vêtements crasseux qui n'en sont plus :

— Où ?

— Acheter des bonbons voyons ? T'as promis !

— J'peux pas y aller dans cet état !

— Mais oui, personne te connaît ! qu'elle assure, espiègle.

Je souris, oublie un peu ma mauvaise humeur.

— Suis-moi, chien !

Sa voix douce ne zozote plus ; sa main tapote sur sa cuisse pour signifier ce qu'elle lui ordonne.

— Ah non ! Pas... cet animal !

— Ah non ?

Surprise, d'un sourire interrogateur elle fait de la résistance silencieuse. Je suis très très subtil :

— Écoute fillette, on ne peut pas... mais absolument pas kidnapper un... chien ?

Elle répète mot à mot ma dernière phrase et, insatisfaite, elle m'interroge d'un :

— Pourquoi ?

Un peu plus loin, le veau gras manifeste sa naissante impatience. Je ne dois surtout pas l'irriter !

— Bon ! D'accord ! Je vous suis ! Allez ! Allez-y !

Je garde l'œil sur le demeuré et reste sur mes gardes.

En gambades, ils partent sur le chemin graveleux, moi je les suis, renonçant à l'espoir de me décrotter. Le paysage ne

m'intéresse plus, je me concentre sur le misérable quadru-
pède, hypnotisé par son gros cul. Le trajet est si court que je
ne m'explique pas pourquoi la petite tenait à tout prix à
prendre son maudit raccourci.

Maman ! Je me ressouviens du but de sa visite : Maman
m'attend !

— Ta maman m'at...

Elle n'a pas entendu, ne m'a pas attendu non plus, et
rentre avec son ami chien dans la boutique. Lentement, je
monte les marches, écœuré des relents de bétail que je
dégage et de l'image que je projette, quand des hurlements
se font entendre et que presque aussitôt la porte s'ouvre
avec fracas. Le veau me charge, je l'évite de justesse.

— Dewors ! crie un homme, le propriétaire ?

Il frotte ses battoirs, regarde s'éloigner le fuyard terro-
risé. Lorsqu'il pivote sur lui-même, il m'aperçoit. Je vais le
saluer d'un Bonjour, mais il me devance :

— Ah non, pas de quêteux ! Allez chez le curé.

Il s'éclipse. Je m'indigne.

— Moi un quêteux ? Moi ? Moi ?

Après avoir crié mon indignation, je jette un œil critique
sur ma personne et, à ma grande déception, constate que
mon aspect suggère ce qu'il a déclaré. Malgré tout, j'ose
pénétrer dans le magasin. L'huis franchi, j'approche de
Zozoteuse qui s'appuie, déconfite, au comptoir vitré où sont
disposés de précieux bonbons.

— C'est triste, hein ?

Ses paupières se gonflent de garder captives trop de
larmes. Pris de pitié ou de lâcheté, je la réconforte :

— Si tu veux, on en achètera pour trois ?

Elle retrouve un sourire, du jamais vu celui-là, et je
découvre ses dents ivoirines. Qu'elle est belle ! Je ne peux
m'empêcher d'embrasser son front.

—Lui, lui, lui ! qu'elle répète au commerçant sans
reprendre son *respir*.

Il ne réussit pas à suivre. Soupçonneux, il me dévisage,
prêt à me faire avouer des crimes que je ne commettrai
jamais. Embarrassé, je ressemble au cornet de crème glacée

un jour de canicule : je fonds. Plus je rougis, plus il se méfie. Il gueule :

— Qui êtes-vous ? et cesse d'emplir le petit sac de papier maintenant obèse. Alors, mademoiselle Amandine, qui est-il ?

Ah ! c'est Amandine qu'elle s'appelle ? Je ne sais que répondre, je bégaye :

— Je... je... je suis le... le...

Amandine ajoute, collant sa tête à mon bras :

— Oncle ! Oui, c'est mon oncle !

Et elle va à la vitrine pointer de nouvelles douceurs de ses dix doigts.

L'homme continue de piger dans les friandises et de décocher sur ma personne un œil de plus en plus menaçant.

— Bon, c'est assez ! Partons !

Elle m'obéit. Nerveusement je paie, et nous sortons sous l'œil inquisiteur de l'oppresseur.

Dehors, le poltron est caché derrière un arbre. Je suis sûr qu'il se croit invisible, parce qu'il est très surpris quand, d'un bon pas, nous nous dirigeons directement vers lui. «Comment vous m'avez vu ?», «Gros bêta ! Y te faudrait une forêt, une amazonienne tout entière pour que tu disparaisses !»

— Amandine, c'est un joli prénom.

Je m'assois au pied de l'arbre où le crétin se croyait invisible.

— Merci !

Elle s'accroupit, donne un bonbon marbré blanc-bleu au veau qui l'avale et, face à elle, il salive en attendant le suivant gloutonnement.

— Amandine, tu te souviens pourquoi t'es venue chez moi ?

Calme, suçotant une sucrerie rouge, elle répond :

— Ouiii... ! Elle étire la dernière voyelle.

Le glouton a droit à une autre friandise, à la réglisse celle-là. Il engloutit jusqu'à sa main et elle, elle rit, s'essuie dans l'herbe.

— Mais non, pas ma main. Le bonbon c'est pas ma main !

Pourtant sa petite main est plus affriolante que les bonbons, mais lui, de son air grosse-bête, fixe et n'apprécie pas que la délicate menotte disparaisse avant de ressortir porteuse d'une gâterie, telle une magicienne.

Elle m'offre un bonbon jaune, au beurre, ma sorte préférée. Je veux le pincer entre mes doigts, mais l'image du baveux bouffeur de main me revient, et du même coup l'écœurement ; je n'y touche pas.

— Non, t'es gentille.

Je mangerais la douceur au goût de «p'tite main», pas au goût de bave de cet abominable béotien, ça non !

Puis, le temps se met à couler tranquillement, calmement, un vrai temps à se fabriquer un souvenir. Je respire l'air d'Amandine, l'air de l'enfance avec ses tendres images qui fourmillent autour ; c'est agréable.

J'aimerais bien me créer d'autres souvenances pour égayer ma mémoire ! Allongé dans l'herbe, mes yeux se ferment et ma tête part à la dérive... J'imagine que Zozoteuse est ma fille.

Ridicule ! Cette idée est ridicule et le charme se défait.

— Y'a plus de bonbons !

J'entrouvre un œil pour la voir sous un autre angle. Son individualité m'enveloppe, auréolée d'un peu de bleu du ciel et de vert des feuilles qui nous abritent ; ses mèches châtaines flottent dans la brise passagère ; ses pupilles noires posées sur moi m'hypnotisent ; ses narines vibrent délicatement ; ses lèvres entrouvertes laissent filtrer la brillance de ses dents ivoirines ; toute sa joliesse s'étale sur son teint de pêche. Que tu es belle !

Je me lève.

— Allons chez ta mère !

Imprégné du charme troublant de la fillette que je viens à peine de rencontrer, je pense : nous sommes amis « à perpétuité » !

Quelle douce sentence !

Sa maman

La solitude, *ma* solitude, commence à être lourde à porter, à supporter. Je me recharge en tendresses, manifestations vivantes d'une enfant complice que je ne connais même pas.

Guidés par elle, l'immonde et moi, nous avançons. Elle me captive cette zozoteuse qui ne zozote plus, et il me dégoûte cet animal aux relents de putréfaction. J'épie les moindres mouvements d'Amandine. Dans un élan, elle se penche, attrape une branche et s'amuse à frapper chaque latte de bois qui compose une clôture. Le puant s'excite, se rapproche d'elle, agite son énorme appendice *mottonné* : sa queue. Sans se préoccuper du veau, elle laisse tomber le bâton qu'au passage il renifle, continuant de serrer Amandine de près. Moi, je reprends le bâton, l'animal me surveille et, intéressé, s'arrête ; alors, fourbe, je lance de toutes mes forces réunies le petit bout de bois.

Aux confins des mondes civilisés ! C'est mon vœu.

Il démarre si vite qu'une fine poussière s'élève du sol. Je suis heureux. La paix !

— C'est là.

Devant les doigts délicats d'Amandine, une maisonnette blanche, tachetée du beau vert pomme de ses persiennes, nous observe.

— Où est Chien ? s'inquiète-t-elle.

— Sûrement chez lui, je l'ai pas vu s'en aller !

Gauche dans ma tromperie et pour rendre mon mensonge plus crédible, je joue le surpris. Judas ! Tu n'es qu'un Judas ! Amandine retourne sur ses pas, appelle le chien ; elle espère tant l'apercevoir. Dans mon dos, l'index et le majeur croisés souhaitent le contraire.

Trois marches mènent à une minuscule galerie. J'ai gagné ! Je jubile intérieurement et les monte. Amandine me rejoint, pousse la porte vitrée, enjolivée d'un rideau de dentelle qui bouge au vent.

— C'est moi !

Elle crie, faisant le tour de l'espace silencieux.

Nous sommes très en retard, sa pauvre mère angoissée est, pour sûr, partie à notre recherche. Je referme la porte.

— Elle est là !

Je me dirige de l'oreille, sans savoir où elle est, et inspecte chaque pièce que je découvre. Il y a deux chambres, la salle de bains, un petit boudoir, une salle à manger et la cuisinette.

— C'est elle.

De la fenêtre, je contemple quelqu'un de dos, plié, qui me tente de son joli postérieur mince et rond dans une magnificence de coloris de fleurs.

— Elle est jolie !

— Comment tu peux dire qu'elle est jolie, tu la vois pas !

Trop tard pour me censurer, cette remarque devait être une pensée. Je cherche quelque chose d'intelligent à dire et Amandine rit ; je suis sauvé !

— Viens !

Accrochée à l'une de mes mains, elle m'attire à l'extérieur. J'évite la porte-moustiquaire qui claque, et d'un bond nous sautons les marches.

— Tu vas trop vite !

Le derrière, distrait par nos rires et ma voix, me montre sa figure.

— Dieu du ciel !

Je suis en pâmoison.

C'est Jolie ! Mon visage doit illuminer car elle voile ses yeux, aveuglée. Elle est transfigurée, je suis ressuscité. Après l'euphorie du moment, je me rends compte que Jolie se cache des rayons de soleil. Tant pis ! Je ne suis peut-être pas ressuscité, ni elle transfigurée, mais je suis heureux.

— Ah, vous voilà !

Elle me détaille du regard. J'entends sa voix pour la première fois.

— Pardon ?

Je veux la réentendre.

Elle hausse le ton.

— J'ai dit, vous voilà !

Elle me croit sourd, l'effet est désappointant.

— Lâche-le Amandine, y s'envolera pas!

Amandine lâche ma main. Je ferme les yeux, et la dernière phrase de Jolie me berce par la musicalité de son timbre exquis : «Lâche-le Amandine, y s'envole...»

— Vous allez bien?

Là, c'est la réussite totale; c'est si harmonieux que je ne peux répondre. «Vous allez bien?» Et mon bras tremblote, c'est l'extase. Jolie me transporte.

Hélas! ce n'est pas ce que je croyais. Quand je rouvre les yeux, je vois la petite qui tire fermement mon bras.

— Qu'est-ce que t'as?

— C'est pas à moi qu'y faut le demander, c'est à toi.

Vite, je trouve une réponse sensée :

— C'est... le pollen qui m'étourdit, oui, le pollen! Y'a trop de pollen!

Mes bras, mes mains voltigent au-dessus des fleurs qui m'entourent. Oui! ça grise, j'adore!

Amandine et sa maman se sourient, puis, jetant de persistants coups d'œil sur ma personne, Jolie, qui ne s'explique pas mon piteux état, me convie :

— Venez, nous allons manger!

Joyeux, je crie ce qui me passe par la tête :

— Quelle heure est-il?

— Vous n'avez pas de montre? et Jolie pénètre dans la maison.

— Mais oui, suis-je bête!

Amandine, qui ne comprend rien à ce qui se passe, me suit à l'intérieur.

— Onze heures et quart? que je m'exclame émerveillé : l'heure passe vite lorsqu'elle se vit si intensément!

— Ça sent mauvais!

Le nez de Jolie renifle d'où peut bien venir cette fétidité.

— Excusez-moi Madame! Si vous permettez, ma place est dehors!

Je suis décontenancé, déçu. Être dans cet état en ce moment précis, à cet instant béni! Je *m'enfarge*, déboule les marches qui descendent dans le jardin. Parmi ces exquises fragrances, la puanteur qui m'enveloppe sera-t-elle moins perceptible? J'en doute.

Seules dans la cuisine, la fille et la mère discutent, leurs voix me parviennent car leur ton s'est élevé; Jolie engueule Amandine :

— Je t'ai demandé d'aller le chercher, pas de le rouler dans la boue.

— C'est pas ma faute, c'est le raccourci.

— Amandine, j'veux pas que tu prennes ce raccourci. Y'a cette bête malcommode. C'est quand même pas monsieur Petitclair qui a voulu passer par là, il est pas d'ici. Tu me feras pas croire qu'il connaît ton foutu raccourci.

— Mais non maman, c'est de ma faute. Je m'excuse.

— T'excuser changera rien. T'as senti? C'est répugnant, même un chien sent meilleur que lui.

Non, c'est faux! Mes effluves sont ceux du veau. Je veux manifester mon désaccord, mais je décide d'attendre; j'apprécie tout de même qu'elle se rappelle mon nom : Petitclair.

L'une derrière l'autre, peinées, penaudes, elles sortent. Je le suis aussi, peiné, penaud.

— Je tiens à m'excuser. Je ne sais pas toute l'histoire, néanmoins je connais la responsable.

Le regard de Jolie foudroie Amandine qui mord sa lèvre inférieure pour ne pas pleurer. Il faut que je fasse quelque chose!

— Écoutez, je vais chez moi prendre une douche et me changer. J'aurais dû y aller avant de venir ici, hein?

J'espérais un sourire, sans succès.

— C'est un très joli raccourci. Votre fille a un nouvel ami, il est... il s'appelle...

Je désirais ranimer Amandine? Eh bien, c'est réussi! Elle raconte dans les plus petits détails l'avant-midi de rêve que nous avons passé. Chien par-ci, Chien par-là; qu'il est beau, qu'il est gentil. Après un moment, je me demande où j'étais ce matin. Elle ne parle que de cette bête puante, lui prête de nobles intentions; à la fin de son histoire, il est l'aristocrate, le chien chevaleresque.

Épanouie, Amandine entre dans sa maison.

— Elle a beaucoup d'imagination, rit Jolie amusée.

— Oui, j'aimerais en avoir autant.

Longtemps, nous restons là, songeurs, à fixer le sol, les fleurs, nos souliers. Puis, l'*ireniflable* pestilence que je dégage nous ramène à la dure réalité : je sens la merde ! Jolie bouche ses ravissantes narines, moi, je fais le drôle :

— Bon ! Je vais y aller avant que mon aura provisoire envahisse vos rosiers.

Elle rit. Pas moi !

— Allez ! Nous allons vous attendre pour *dîner*.

— Pour *dîner* ?

— Oui, à l'heure qu'il est, nous dînerons .

Elle disparaît derrière la moustiquaire.

La courte déception

Je braillerais comme un enfant. Complètement, profondément découragé.

Pourquoi y'a jamais rien qui marche ? J'ai les oreilles pleines du rire de Jolie.

Dans une vie, peu souvent une rencontre magique se produit qui ne s'explique pas ; Amandine et Jolie en sont une. Je viens de la gâcher ! Écœuré, dépité, les yeux embués, je chemine.

Évidemment, le veau est le coupable idéal, l'archétype du coupable : égoïste, hideux, inintelligent et, surtout, c'est un chien-veau !

C'est de sa faute ! Je suis enragé et en pensée l'étrangle.

Mais après quelques pas sur la route étroite, je sais qu'il n'y a pas de responsable ; c'est le destin, le mien, *mon* destin.

J'arrive à ma remise. Tiens, je ne me suis pas perdu ? Pourtant, tout le parcours s'est fait comme si j'étais un somnambule.

À genoux, je clopine jusqu'à la salle de bains où il n'y a même pas de douche. Une fois déshabillé, je jette mes vêtements crottés par la fenêtre de la chambre. La baignoire est si minuscule que mes jambes pendent à l'extérieur.

Propre, beau, vêtu élégamment, je reprends la route : me revoilà ! C'est exactement ce que je déclame à mon arrivée lorsque la porte s'ouvre, que le rideau de dentelle ondoie, et que Jolie respire ma bonne odeur dans un courant d'air.

— Bienvenue ! sourit Amandine. Tu sens bien meilleur !

Elle a son air de coquine.

Jolie m'invite à m'asseoir devant un bol fumant. J'y plonge la cuillère pour goûter... Hum ! c'est une soupe aux lentilles.

Amandine me reluque chaque fois que sa bouche gobe sa cuillère ; sa maman, elle, a un air absorbé et avale sa soupe ; moi, je contemple à profusion Jolie. Son bol vide, Zozoteuse se penche vers moi pour me confier un secret.

— Elle est jolie, hein ?

Elle colle sa main sur son visage pour se cacher de sa mère.

— Amandine !!!

Jolie a-t-elle entendu ? Je demeure saisi : Seigneur ! si Amandine répète ce que j'ai dit quand j'ai vu son émouvant postérieur ? Avant qu'elle ait l'intention de me dénoncer, je hurle :

— On ne parle pas la bouche pleine !

De peur, je transpire, pendant qu'Amandine me montre son bol vide, sa bouche vide, et sa maman m'observe, main et cuillère suspendues dans les airs. Après avoir avalé sa cuillerée de soupe, Jolie s'écrie :

— Qu'avez-vous ?

— Rien ! Rien ! C'est chaud, non ?

Les deux se regardent, il ne fait pas chaud.

— Non ? Ah bon !

Nous reprenons les mêmes gestes ennuyés. Jusqu'à la fin du repas, sans nous parler, nous nous épions. Amandine ne cesse pas pour autant de me sourire, mais Jolie, maintenant, se méfie.

Interminable, ce dîner !

... *les raisons...*

Assis dans le boudoir – pièce sombre où deux vieux fauteuils déformés, usés, présument d'un passé boulimique quand bedons et bedaines étaient à la mode, il y a... –, Jolie m'explique minutieusement les raisons pour lesquelles je suis ici. Je m'émerveille d'elle, lui cherche des airs, des gestes de sa gentille fille. De sa bouche éclatante s'échappent des mots que je n'écoute pas, je suis heureux.

Amandine a les mêmes dents! Je souris et ne me rends pas compte que je me perds parmi ses jambes, ses cuisses, ses seins, son cou, ses «trous d'oreilles»... Mon imaginaire se constelle d'images des plus saugrenues : nous nous enflammons, elle et moi, nous nous embrassons au point de devenir bleus de suffocation.

Je dois bleuir, car Jolie s'affole :

— Étouffez-vous?

J'aspire un peu d'air.

— Ça va! Ça va aller!

Ça se sent, je suis pour elle de plus en plus bizarre. Elle se lève et se campe derrière son fauteuil, droite, distante, les mains sur le dossier avachi dans sa vétusté. Plus un mot ne sort de sa bouche. Son silence me statufie.

Que j'aimerais lui conter ce qui m'a amené ici : Élise, cette femme qui me hante toujours et qui m'a abandonné à cause d'un cauchemar qu'elle a fait. Lui parler aussi de mon enfance, de mes parents qui m'aimaient tellement – ils ont sacrifié leur vie pour moi, leur unique progéniture; de mon chien mort guillotiné par un train quand j'avais dix ans; de ma première bicyclette dix vitesses, que mon parrain Père Blanc d'Afrique m'a offerte à mon douzième anniversaire; de ma première relation sexuelle à l'âge de onze ans, quand une amie de la famille, noyée d'alcool, m'a dépucelé sous le feuillage du chêne centenaire dans le jardin familial; de mes angoisses, mes joies, mes peines, mes folies, mes désirs les plus cachés, profonds. De tout et de rien, quoi!

— Monsieur Petitclair, vous savez ce que le maire attend de vous!

Jolie chasse ma rêverie sur-le-champ.

— Ah oui?

D'un saut, je me redresse.

— Au revoir!

Sa main s'offre comme à notre première rencontre. Je la prends, approche mes lèvres pour la baiser, mais elle s'envole et je n'effleure que son parfum. Sa réaction, son regard effrayé m'intimident. Jolie est effarouchée, exactement comme je l'ai été plus tôt dans la journée quand Chien-veau s'était rué sur moi; ça m'avait donné l'impression étrange d'avoir été violé.

L'atmosphère se surcharge d'incompréhension. Je veux ajouter quelque chose; Jolie pointe la sortie et me suit jusqu'à la porte.

— Tu t'en vas? demande Amandine qui lit une bande dessinée, étendue sur son lit.

— Oui! Salut!

Je sors. La porte se referme aussitôt sur mes fesses qui heurtent la vitre; je suis découragé.

L'échec

Je n'ai jamais eu le tour avec les femmes! Jamais! Quel gâchis! Mon corps se traîne dépité, ma raison se désespère.

Jamais je n'ai été doué pour la conquête. Jeune, j'avais suivi un cours de «personnalité»; mes parents me jugeaient arriéré parce que je n'avais aucune amie de mon âge; ils disaient que c'était anormal, même pervers de jouer des journées entières aux cow-boys avec des enfants de cinq ans plus jeunes que soi. J'avais alors quatorze ans.

Ils ont payé le cours, ça n'a rien donné; je suis retourné à mes jeux en cachette.

Depuis toujours j'ai de la facilité à comprendre, à me faire comprendre des personnes plus jeunes, les enfants. Quelquefois, ils se font cruels les enfants; par contre ils peuvent, aussi, se montrer plus humains, plus sincères que les adultes, leur petit monde est encore à l'abri des préjugés d'«hommes». À quatorze ans, ils m'étaient ennuyeux ceux de mon âge qui s'empressaient de se fondre au plus vite dans ce «merveilleux» monde que l'on dit des grands!

Peut-être que l'amie alcoolique de la famille, celle qui m'initia aux bizarreries de l'amour, a laissé sa marque? Sans doute après tout!

«Je me sens bien auprès de vous!» Est-ce si difficile à percevoir pour une femme? Pourquoi Jolie ne s'est-elle pas rendu compte de mon état euphorique, de ma béatitude tout à l'heure quand j'étais assis dans le boudoir?

C'était pourtant visible, prude, innocent; trop innocent! L'innocent de ce coin de pays perdu, c'est moi!

Je suis incapable de décortiquer mes émotions qui se bousculent; une des citations préférées de mon père résonne dans ma tête: «Nul ne se cache de son passé! Il te colle à la peau et resurgit de temps en temps pour t'accabler, comme un casier judiciaire te suit et te hante ta vie durant!»

Je n'ai pas de casier judiciaire, mais j'ai tout un passé: l'échec!

Des larmes au bord des paupières, je pense à mes pauvres parents morts dans un accident d'avion à leur premier voyage. Découvrir l'Europe à 70 ans... Je ne les ai plus revus.

— Papa aide-moi! S'il te plaît!

Je parle à mon père qui ne m'entendait jamais de son vivant.

— Y faudrait que j'aille chez le médecin!

Maman avait tant souhaité que je sois médecin.

Je réfléchis à ma rencontre avec Jolie. Pas un seul point positif, encourageant. Et je ne sais pas ce que le maire attend de moi. Je me *chrisse* pas mal du maire et de sa suite.

Oui, il y a *un* point positif! Amandine!

Même à distance, elle reforme mon sourire. C'est si facile avec les enfants. Chère Amandine, quel bel avant-midi de rêve j'ai passé avec toi et...

Je m'immobilise d'effroi. Au loin, une masse confuse se déplace, se rapproche. Je plisse les yeux pour mieux voir, non! surtout ne pas croire à ce qui accourt vers moi.

— Chien-veau!!!

Il dresse l'oreille pour ensuite s'élancer vers moi à la vitesse d'une torpille perdue; il interprète mon cri d'horreur comme un cri de joie.

— Non! Non!

Je saute sur place, gesticule nerveusement pour détourner sa course folle. Un nuage de sable se soulève du sol et forme un cône renversé qui balaie tout sur son passage. Les arbres frêles se plient, accrochés désespérément à leurs radicelles; des papiers venus de je ne sais où volent au vent. C'est si affolant, j'ai peur et me lance hors de la route pour atterrir dans un massif de framboisiers.

Cauchemar indescriptible, j'appréhende le pire. Yeux bouchés par les retombées poussiéreuses de la tornade qui vient juste de s'abattre, je ne bouge plus. Après une longue attente, j'écarquille les yeux sur ma fatalité :

— On vit ce qu'on s'attire!

Accroché aux épines, je philosophe sur mon destin. J'ai l'air du pantin remisé dans les coulisses et suspendu à son clou. Avec beaucoup de précautions, je tire mon bras gauche pour dégager ma chemise. Elle se déchire. Outré, je sors du massif.

Une fois libéré, je me rends à l'évidence :

— À l'avenir, je me promènerai nu!

Pour ne pas pleurer, je ris – ça m'arrive souvent. Je ne suis que retailles, découpures, et je ris. Une épave! Deux fois dans la même journée Chien-veau fait de moi une épave.

— Je te tuerai!

Je ne ris plus.

Les framboisiers ont très peu écorché ma peau. Incroyable! Par contre, mes seuls vêtements endimanchés ne sont que lambeaux : un pantalon de lin gris avec une chemise crème, en lin elle aussi – ma plus chic –, lignée noir et brun. L'habit ne fait pas le moine! C'est ma certitude. Même vêtu de mes plus beaux atours, Jolie ne m'a pas remarqué.

En retournant dans ma remise, je ne souhaite qu'une chose : ne rencontrer personne!

Où sont les habitants du village? Je ne croise personne. Décidément, je vais de bizarreries en bizarreries; hier, pendant la parade ils apparaissaient comme s'ils sortaient de boîtes à surprise, et ce matin personne. Tant mieux! Dans l'état où je suis, je ne pourrais expliquer mes malencontreuses aventures.

Ce qui doit arriver arrive !

Comment savoir où j'en suis? Découragé? Je le suis! Et Jolie, pourquoi me trouble-t-elle à ce point? Elle n'a rien fait, pas un geste, pas un sourire qui auraient pu provoquer chez moi cet embrouillement.

Je nous laisse choir, moi et ma nullité, par terre, près de la porte; mes pensées s'entrechoquent, ma cervelle s'alourdit et, peu à peu, mon regard se perd dans le lustre.

Le frottement d'une clef qui se glisse dans son trou me distrait. Ça m'est égal que ce soit qui ça voudra!

C'est la mairesse. Évidemment, elle et son double.

— Dieu du ciel! c'est sa première phrase. Que vous est-il arrivé?

Elle attend, debout, une réponse qui ne vient pas. Après un moment, elle s'agenouille devant moi; auparavant, elle a fermé et barré la porte.

— Monsieur Petitclair, j'espère... j'espérais cet instant depuis... depuis hier.

Je fixe toujours le lustre pendant qu'elle s'occupe, fébrile, à promener ses mains fougueuses sur mon pantalon déchiqueté.

— Aïe!

Elle pelote une de mes rares écorchures, souvenir des framboisiers.

— Mais vous êtes blessé? Elle plante là son instinct paillard pour s'emmailloter dans l'*instinct maternel* – qui lui va assez bien, ma foi.

Vite sur ses jambes, elle se propulse vers la salle de bains. Moi, une fraction de seconde, je souhaite qu'elle se fracasse le crâne sur le lustre flamboyant. Hélas! elle est courte sur pattes, ou il rapetisse.

— Notre homme à tout faire et moi-même sommes venus ce matin chez vous pour faire des petites choses, comme raccourcir la chaîne de la suspension, qui était beaucoup trop longue pour vous, grand coquin. Vous auriez pu vous blesser! Elle rit, disparaît en jacassant.

Elle aurait dû s'assommer! C'est d'valeur! Je me lève pour m'asseoir sur une des chaises de la salle à manger; c'est vrai, le lustre n'est plus à la même hauteur, je passe dessous et ne me cogne pas. Tant mieux! Enfin, me tenir debout! Être un homme!

La mairesse revient les mains pleines de bouteilles, ouate, sparadraps :

— Cette pauvre madame Lamothe mesurait à peine quatre pieds trois pouces. Dans les p'tits pots les meilleurs onguents! Ha! Ha! Ha!

Elle cesse de rire et dit :

— Déshabillez-vous! d'un ton où il n'y a pas de place à la négociation.

Je me déshabille. Après avoir déposé les flacons, la ouate et les pansements adhésifs sur la table, elle s'immobilise percluse de désir, prunelles et bouche lascives; c'est en caleçon, quand je me rassois, que je la vois, la mairesse. Une moue terrifiée devant tant de concupiscence crispe mon visage. Souffle court, rétines fiévreuses reluquant les différentes parties de mon anatomie de mâle impudique, la mairesse chancelle, cramponnée à la table.

Je me glisse derrière ma chaise, ongles piqués résolument dans le dossier.

— Je suis... si seule... suis si seule... seule...

Sa phrase incohérente, elle la divague, comme une sorte de hoquet incontrôlable. Je me métamorphose en dresseur d'animaux sauvages, car elle ressemble maintenant à une panthère et mon cerveau me renvoie des images à des vitesses hors la loi. «Il y a si peu de monde qui veut venir ici!» Sont-ils tous passés par cette épreuve avant d'être acceptés? Le maire sait-il? Suis-je un casse-croûte offert par le maire?

La salive brille aux commissures de ses lèvres. Est-ce la rage? Je suis de plus en plus craintif.

D'une voix presque éteinte, elle bredouille :

— C'est pas facile de vivre ici. Vous pouvez pas vous imaginer, et que c'est ennuyant de vivre... de vivre... avec un... un...

Elle s'essuie la bouche du revers de la main, le regard errant sur mes *bobettes* prisonnières à travers les barreaux du dossier. Sont-elles propres? Vérifie! Je vérifie... Oui! Elles le sont! Ouf! Ma mère me serinait : «Change de sous-vêtements chaque matin, mon fils! Tu ne sais jamais quand tu auras un accident et que tu te retrouveras à l'hôpital en caleçon, mon garçon!» Merci maman! L'existence offre si peu d'occasions de reconnaître les enseignements légués à la postérité par vous, chers parents.

Fier de ma maman, yeux aux cieux, j'affiche un rictus imprégné de recueillement pour la chère disparue.

Un court instant j'oublie la panthère, mais, elle, elle ne m'oublie pas. Soudain, mes dix doigts crispés sont plaqués au dossier. Je ne l'ai même pas vue venir!

— Je vous tiens... Je vous tiens...

Elle balance la chaise et module sa phrase d'une voix rauque et cassée; on se croirait dans un film d'exorcisme! Sans cesse, elle délire «Je vous tiens!», telle une litanie faisant partie d'un rituel satanique. Les pattes de la chaise frappent le plancher, tout vibre; une bouteille tombe. De droite à gauche, de l'avant à l'arrière, nous tanguons. Je ne peux m'empêcher de rire; ce qui interrompt la mairesse qui, haletante, libère mes mains douloureuses.

— Ne riez pas!

L'air maussade, assise, elle reprend lentement son souffle; moi, je suis dans la chambre et cherche dans ma valise de quoi couvrir mon envoûtante nudité. La première chose qui me tombe sous la main est une robe de chambre de ratine blanche que j'enfile avant de revenir dare-dare dans la salle à manger. De dos, la tête un peu penchée vers l'avant, la panthère semble dormir.

— Vous allez bien? dis-je en déposant ma paume réconfortante sur son épaule épaisse.

Elle s'en empare.

— Ah! ce que c'est que de vivre avec un... avec un...

J'attends, intrigué, la suite de son histoire. Puis, d'une inflexion profonde de la voix, qui ne peut qu'encourager sa confession, je répète :

— De vivre avec... un... ? m'assoyant près d'elle.

— Je suis si seule... si seule...

Et elle ressasse les mêmes mots, comme un disque rayé. Je connais ce bout-là; c'est l'après que je veux savoir! Je caresse sa peau pour la rassurer.

— Vous êtes gentil.

— Merci! Vous aussi, vous l'êtes!

Je suis poli.

— Vraiment, je suis gentille?

Excitée, elle se tourne vers moi et replace ses cheveux d'un geste enfantin. J'en ai assez de cette mauvaise pièce de «théâtre d'été»; par contre, je suis prêt à tout pour *savoir*.

— Mais oui, vous l'êtes! Dites-moi ce que c'est que de vivre avec un... ?

J'attends.

— Homme! qu'elle soupire abattue.

— Quel homme?

— Mon mari!

— Le maire?

— Vous appelez ça un maire? Elle se lève furieuse. Ça fait... ? elle hésite ...six ans, trois mois et deux jours que lui et moi nous n'avons pas...

Ses bras s'agitent dans la pièce, traduisent la turpitude de ce qu'elle confesse. Je suis harassé : qu'est-ce que ça peut me foutre que ça fasse six ans ou vingt ans qu'elle et lui n'ont pas...

— Je suis si... effroyablement... seule...

Fragile, elle espère lire dans mon œil de la compassion.

Impatients, ses bras ceignent ma taille d'un geste fou et désespéré, et la robe de chambre glisse jusqu'à mi-corps. De brefs :

— Ah non! Ah non! Ah non! fuient de ma bouche.

Passionnée, gourmande, elle renifle, suce, embrasse mon cou, mes épaules, mon torse, ce qui déclenche de courts frissons électrisants dans tout mon corps; la manifestation d'un consentement tacite de ma part grandit.

À plusieurs reprises, sur la table, elle me hume, me dévore, m'avale. Sans rien demander en retour, la mairesse se contente de savourer, après tant d'années, de mois, de jours, certains plaisirs ressuscités.

Après...

Après ce moment d'égarement, nous reprenons chacun nos raisons, étendus, entortillés dans la robe de chambre. Échouée sur mon corps aplati, consommé, la mairesse se lève rassasiée, satisfaite.

Je la regarde se rhabiller et ne pense à rien de précis, je me sens bien. Il est cinq heures. Heureusement, la journée s'achève! La mairesse en est à cacher ses seins plantureux dans un corsage de dentelle noire et je la redécouvre bellement appétissante. Tout de même, je n'aurais pas le culot de lui faire comprendre que j'en reprendrais? Je souris.

— Tu souris? Elle me tutoie.

— Oui.

— T'es beau.

— Toi aussi.

C'est d'un calme! Nous avons l'air du couple amoureux vivant un amour naissant. Tiens, je n'ai pas pensé à Jolie?

Tandis que je me pose cette question, la mairesse me demande:

— Pourquoi t'as accepté de venir ici?

— Une rupture.

— Elle est jolie?

— Elle l'était.

— Vous vous aimiez?

— Pas assez.

— Y'a longtemps que c'est fini?

— Je ne compte plus.

— Tu penses encore à elle?

— Oui.

— Tu l'aimes encore?

— Le temps d'oublier.

— Pendant que nous... tu y as pensé?

— J'ai pas pu.

Elle rit, paisible, chausse le deuxième soulier.

— Tu t'habilles pas?

— Non! J'aurais peur de sortir. J'ai assez vécu pour aujourd'hui.

— Comment ça?

— Ce serait long à expliquer.

Je me glisse au bout de la table, jambes ballantes.

— Pourquoi tu es avec ton maire si tu l'aimes pas?

Elle me fixe, esquisse une moue faussement dégagée et :

— C'est petit ici, on se sépare pas. En plus, si t'es mariée avec le maire... c'est...

Elle ne termine pas sa phrase, j'essaie à sa place :

— C'est pour...

Sa main fait signe de me taire.

— La mort! et elle *s'effoire* près de moi.

Je ne parle plus et reste tête basse, empêtré, comme elle, dans ses propos.

Tout à l'heure c'était l'insatiable mammifère, et maintenant c'est une femme qui, comme moi, espère davantage de la vie. Attachante, attendrissante.

Le temps passe. Elle se tait.

Je suis tracassé par les propos de Jolie : « Monsieur Petitclair, vous savez ce que le maire attend de vous! » Qu'est-ce qu'il peut bien attendre de moi? Je la questionne :

— Qu'est-ce que le maire attend de moi?

— Rien!

Je la sors de son insondable abattement.

— Qu'est-ce que ce cher homme attendrait de toi? Son ton est méprisant.

Elle hoche la tête, ce qui sous-entend : quel crétin, quel égoïste, quel goujat... Puis elle continue sans s'arrêter, d'un ton qu'elle s'efforce de dompter pour éviter qu'il s'emballe.

— Ici, personne n'attend quelque chose de quelqu'un, et surtout pas lui. Ici, tous ont peur de tous, et se méfient de tous. T'es constamment épié, espionné, jugé. Je me souviens, on a décidé y'a plus de trente ans de venir s'établir dans ce trou perdu. Jeune marié, il n'avait pas de travail et nous voulions avoir un enfant loin des familles trop envahissantes...

Elle parle faiblement et je dois me pencher, prêter l'oreille pour comprendre.

— Bon, c'est assez pour aujourd'hui.

Elle frappe ma cuisse amicalement, et se dirige vers la porte.

— Comment tu t'appelles ?

— Petitclair.

— Non, c'est ton prénom que j'sais pas.

— Maurice ! (Je suis mal à l'aise.) J'ai jamais aimé ça.

— Non, c'est un prénom correct. Moi, c'est Rose. T'imagines, les niaiseries qu'on m'a débitées ?

Qu'est-ce qu'on peut inventer sur *Rose* ? Je ne trouve rien. Au moment où elle part, je l'arrête :

— Rose, c'est quoi les niaiseries ?

— Rose trémière, Rose Latulipe, Rose bonbon ! qu'elle récite. À demain !

Elle ferme la porte pour la rouvrir aussi vite.

— Y'a une surprise pour toi dans la cuisine !

Et elle disparaît pour de bon cette fois. Je viens de voir la Rose empruntée, aux comportements de collégienne dévergondée, enfuie clandestinement du pensionnat où elle s'empresse de retourner. Étonné, je suis rivé à la table.

Rose trémière ! Rose Latulipe ! Rose bonbon ! Ce ne sont pas des niaiseries, au contraire, c'est mignon ! Demain est un autre jour ! et mon père radoterait « À chaque jour, suffit sa peine ! ».

C'est sur ces profondes paroles que je soulève mes fesses, attiré par la surprise. En me levant, mon pied heurte une bouteille que Rose avait fait tomber; elle tournoie sur elle-même puis roule sous le bureau.

— La surprise, où est la surprise? J'adore les surprises!

Dans la cuisinette mon regard se pose sur un énorme bouquet de fleurs des champs. Marguerites, lupins, lis, chicorée sauvage suggèrent : Bienvenue dans ce coin perdu, pauvre imbécile! avec un mot, «De la part de tous!». Je tourne la petite carte entre mes doigts.

— Qui tous? Tiens, quelque chose de gribouillé au dos.

Je lis : «Montre-moi la vie en *Rose*.» C'est la signature du gribouillage, était-ce vraiment nécessaire?

— Quelle audace! et si son maire était venu faire son tour? Ou si l'homme à «faire tout» avait lu le gribouillage ce matin? Il ne lit pas?

Dans ma tête incrédule, en même temps que mes mains déchirent la carte, je pense «Un étranger, je ne suis qu'un pur étranger pour elle. Pourquoi m'écrire ce qui en dit si long? Pour elle, est-ce un jeu comme hier à la réception?».

Enfin seul!

Emmitouflé dans la robe de chambre qui exhale ses odeurs voluptueuses, je me repose, repu, pensif. Paresseusement, je recouvre en souvenirs pêle-mêle ma deuxième journée ici et je me dis que «le temps qui s'éloigne s'embrouille!». Je décide donc de les immortaliser par écrit, ces journées, dans un cahier de classe ligné qui végète dans un tiroir. Sur la première page, je lis cette phrase inachevée «Ils commencent à me faire...». Je ne cherche pas à comprendre, j'arrache la feuille et m'applique à écrire, sans omettre de détails, tout, complètement tout. Ça me mène tard dans la soirée.

Onze heures trente?

J'étais tellement concentré à me remémorer mes pre-mières aventures dans ce curieux village que les heures hypocrites se sont jouées de ma montre. Depuis le désas-treux dîner chez Jolie, je n'ai rien avalé, j'ai faim. Je cours vérifier si l'homme à tout faire et Rose ont laissé quelque chose à bouffer. Mon intuition ne me trompe pas, le réfrigérateur déborde de fruits, légumes, produits laitiers ; avec une petite boîte blanche cartonnée. C'est la surprise !

— Des pâtisseries ? Ouais ! C'est ça, de gourmandes pâtisseries ! Tu t'empiffres, «Gargantua» ! que je m'exclame la bouche pleine en suçant chaque bout de mes doigts.

— Merci Rose !

Y'a qu'elle pour penser à ça. Oh oui ! Rose l'appétissante ! Pareille à des gourmandises : ronde comme le chou à la crème ; onctueuse comme l'éclair plein d'une riche crème pâtissière ; amère comme le chocolat noir ; fragile comme le feuilleté. Ses chairs potelées les illustrent avec tant de somptuosité.

Je me sens fatigué tout d'un coup.

Pourquoi suis-je incapable de dire non ?

Le corps repu de sommeil, je sais où je suis quand je m'éveille, raide dans mes tensions. Est-ce que ça me plaît d'être là ? Je fixe le plafond de minces lattes de bois peint.

Je suis étendu dans un lit ? Comment ? Hier trop petit, le lit est ce matin grand, bien grand pour une seule carcasse. Appuyé sur les coudes, je m'affole. C'est elle ? C'est Rose qui remplira l'immensité inoccupée de ma couche ?

Je suis sidéré. Rose étendue, là, à côté de moi ? Non !

— Oui ! Il y a assez de place ! Oui elle peut ! peut remplir l'espace !

La fiction frôle le drame, la réalité m'horrifie. Je regrette ma faiblesse d'hier. Pourquoi suis-je incapable de dire non ? Ça se bouscule dans mon cerveau. Que faire ? mon père m'assommerait d'un «Le temps finit toujours par tout arranger !». Avec moi, il prend son temps le temps. Depuis ma naissance, ma vie est incompréhensible, déroutante ; maintenant, les événements se succèdent et je n'y peux rien.

Pour moi, il finit par tout mélanger, le temps.

— Rien faire ! Ha ! ha ! ha !...

Je ris nerveusement, et un vide grand, un vide terrifiant, là, au-dedans, loin, profond ; une inanité où je me sens insignifiant, inconsistant : l'échec. Encore, éternellement l'échec ! Élise, mes tristes parents, Jolie ? Rose, mon meilleur ami, ce trou perdu... « Il y a si peu de monde qui veut venir ici ! »

Il faut que je fasse quelque chose ! Mais quoi ?

Je m'agite.

« Tu n'arriveras jamais à rien ! À ton âge, ton père avait de la maturité. Il y a autre chose que la frivolité dans la vie. Tu es irresponsable, un immature ! » C'était ma mère au téléphone, l'Europe me l'a volée ; leur unique voyage.

Ce jour-là, j'étais au lit avec la blonde de mon meilleur ami. La veille, ils s'étaient disputés parce qu'elle lui avait presque sectionné le pénis. Elle était en traitement d'orthodontie et les fines broches, perforant la membrane du condom, étaient restées accrochées aux nombreux poils qui ornaient son membre. En se coulant dans le lit avec moi, par vengeance, elle m'avait raconté sans rire, sans pleurs, qu'ils avaient dû se traîner dans des positions acrobatiques vers la salle de bains, chercher les ciseaux à ongles pour se déprendre. Je me souviens, elle n'avait pas voulu que je mette un condom, pourtant, c'était une fanatique de la chose ; elle répétait « J'aime le contact de la tripe d'agneau sur mes lèvres ». Je ne sais plus son nom, mais seulement que je n'ai pas dit non, comme d'habitude. Un jour, lui l'a appris, plusieurs mois après, et je n'ai plus eu de meilleur ami.

Dans la cuisine, je ne me décide pas à peler une des oranges apportées par Rose. D'une main, je la garde à la hauteur des yeux, la toise.

« Déshabille-moi, croque-moi et accepte encore une fois de vivre l'irrévocable ! » Elle se retrouve avec ses sœurs, je retourne dans la chambre.

Parmi mes vêtements éparpillés, je choisis un jeans. À quatre pattes, je tâte sous le lit pour récupérer la deuxième de mes chaussettes quand on toque à la fenêtre. Je me redresse, attrape le drap pour couvrir mon corps nu ; c'est Ballon qui gesticule tout sourire édenté, il veut que j'ouvre.

Drapé, j'essaie, force, mais n'y arrive pas, le châssis est coincé. Lui, immobile, m'aide de ses grimaces. Son visage se crispe, se déforme avec l'élasticité du caoutchouc ou de la pâte à modeler. Je ris et, poussant, tirant, m'amuse à l'imiter ; je refais à la seconde près les mimiques de Ballon. Excédé, il me signale d'un geste nerveux qu'il se dirige vers l'entrée. J'enfile jeans, t-shirt, la chaussette et arrive devant la porte qui s'ouvre au même moment. Aussitôt entré, Ballon agrippe ma main et la secoue.

— C'est à vous ?

Joyeux, il tient dans l'autre main mes vêtements crottés et puants que j'ai jetés, hier, par la fenêtre.

— Oui, ils s'aèrent !

Je les rejette dehors. Dans l'étonnement son sourire se perd, mais une fois qu'il a fermé la porte, il le récupère.

— Ça va, monsieur Fetitclair ? Mes enfants ont hâte de vous connaître, et vous ?

Je suis discret :

— Oui !

Il s'attendait à quelque chose de plus engageant ; je ne lui donne pas ce plaisir. Il réplique, rieur :

— J'espère que vous êtes plus bavard en classe ! Ha ! ha ! ha !

Je suis indifférent à ce qu'il rit. Ce que j'ai vécu depuis mon arrivée me revient. Il m'observe, ne comprend pas ce qui se passe. Je me comprends. Nous nous regardons : moi en chien de faïence, lui en chien piteux. Dérouté, Ballon gratte son début de calvitie et, gauchement, sans trop de conviction, il continue :

— Je suis très content de l'acquisition d'un jeune professeur d'école, je... S'attardant sur mon pied nu, il s'interroge.

À se sentir fixé comme je le fixe, il rapetisse, se met à bégayer ; il cherche le pourquoi de sa visite :

— Je... suis venu... vous...

Je jette un coup d'œil sur ma montre-bracelet, il est huit heures cinq.

— Je m'excuse. Suis peut-être... matinal... trop pour... vous ?

— Décidément, ici les gens n'ont pas de vie privée !

Ballon fond littéralement.

— Il est tôt ? Je... je... excusez, ici, y'a si peu d'étrangers... quand on en a un... on veut être le premier à le connaître. Ma femme m'a empêché de venir hier, elle pensait... que... que c'était pas... convenable.

Il se tortille. Je suis d'accord avec sa femme.

— Elle a raison !

— Pardon ?

Il n'a pas compris ou, plutôt, il espère ne pas avoir bien entendu.

— Rien, rien, je me parlais.

Ballon glousse des spasmes nerveux. Ses deux mains indécises se serrent sur la poignée de la porte.

— Je... je... re... viendrai pu... pu... plus tard !

— Pourquoi ? avec volontairement un doute dans l'intonation de mon pourquoi : Pourquoi revenir plus tard ? ou Pourquoi êtes-vous venu ?

Je m'amuse, et lui, soudé à la poignée, se tord, tel l'enfant qui ne peut plus se retenir, tournaillant le bouton dans tous les sens.

— Asseyez-vous !

Je rattrape la situation.

Je lui montre une chaise, mais il ne lâche plus sa proie. A-t-il envie de pisser ?

— Aimeriez-vous aller aux toilettes ? voulant le mettre à l'aise.

— Non, non merci ! Je l'ai fait le long de la haie d'aubépines ! sort-il d'un trait.

Ce qui le rive sur place dans l'atitude du garçonnet fautif. Puis, se souvenant que je lui ai offert de s'asseoir, il se dirige vers la chaise, frottant ses paumes moites sur son pantalon. Il gémit ; son crâne chauve ruisselle de gouttelettes de sueur. Pauvre Ballon, je m'amuse à ses dépens.

— Je vous offre quelque chose à boire ?

Sa tête remue un Non ! Je suis allé trop loin.

— Beau temps, n'est-ce pas ? Je le dis pour qu'on change de sujet.

— Ah! oui, l'été s'achève!

Illico presto, il ne se plaint plus. C'est étrange, dès qu'on parle de choses anodines comme la pluie, le beau temps, les gens sont plus accommodants.

— Étrange...

— Ah! non, j'me rappelle, y'a... vingt ans, on n'a quasiment pas eu d'été.

Ballon est radieux, son embarrassant aveu – avoir uriné dans les aubépines – est oublié.

— Incroyable!

Je suis estomaqué, et lui passionné par ses statistiques climatiques :

— Mais non, je conserve les calendriers depuis que j'suis p'tit et, chaque jour, j'écris dessus le temps pis la température. Enfin, vous voyez? Venez, ils sont à la maison!

Je suis éberlué, et lui sautille sur sa chaise, exalté; il bondit, heureux, bienheureux même d'avoir quelqu'un à qui parler de ses éphémérides, son hobby.

Je sais, je sais! Il y a des collectionneurs de boîtes ou de cartons d'allumettes, de capsules de bouteilles de bière, de cartes de joueurs de hockey, et même de dessous féminins; mais des calendriers? J'y aurais jamais pensé. Je souris, cherchant des bidules hétéroclites à entasser : dentiers? mégots de cigarettes? et Ballon m'apprend, moqueur :

— Mon père était embaumeur, il collectionnait des dentiers.

Il se balance, répète, rerépète :

— Des dentiers! Des dentiers! Vous imaginez?

Oh oui! J'imagine. Insulté que je suis! À peine ai-je réfléchi à cette hypothèse inimaginable que quelqu'un, quelqu'un que je ne connais pas, se permet de faire sans mon autorisation de la télépathie. Je le dévisage. Lequel de nous deux a influencé l'autre?

— Pourquoi vous me regardez?

Ballon cesse de rire.

— Votre père collectionnait vraiment des dentiers?

— Oui! Votre père itou? qu'il s'intéresse.

— Mais non, voyons! Surtout pas!

— On échange, si vous voulez, j'ai des doubles.

— Mais non, mon père collectionnait rien, rien du tout ! Sauf ses maudites citations !

Je suis impatient de mettre fin à ces imbécillités.

— Des citations ? Ah bon, pas facile à troquer, hein ? Mais vous ?

— Moi ?

— Oui, vous ? Vous devez collectionner que' chose ? non ?

Exaspéré, je vais répondre : oui ! des culs ! toutes sortes de culs ! dès l'âge de onze ans ! même le cul de ta mairesse ! Je me ressaisis.

— Non ! J'ai horreur des collections !

Déçu, parce que je n'ai rien à échanger, Ballon se tapote les cuisses avec ses deux mains. Je traduis : il me confie, naïf, sa stupéfaction et son désir d'en finir avec ce tête-à-tête ; moi aussi, ça tombe bien. Je marche vers la porte, il se lève, me suit.

— Je suis venu vous inviter à la maison. Ma femme, mes enfants aimeraient tellement vous rencontrer. Un étranger, une personne de la ville, c'est rare ici.

Il est complètement rétabli. Moi, je ne tiens pas à m'exhiber devant son arbre généalogique.

— J'ai pas le temps ; je dois préparer mes cours, voir l'école, faire l'inventaire de ce dont j'aurai besoin, de ce qui manque ; vous voyez ? C'est impossible !

— Mais non, vous avez le temps.

— J'comprends pas.

— C'est vous qui décidez quand vous commencerez, ce que vous enseignerez. Écoutez, c'est pas une vraie école, c'est un sous-sol d'église.

— Un sous-sol d'église ?

— Oui, l'école a brûlé, y'a (ses lèvres additionnent des chiffres) ...dix ans, et le conseil municipal du temps a pris l'argent du ministère de l'Éducation pour bâtir un bowling municipal.

— Un bowling municipal ? Je ne suis que stupéfaction. Voyons, c'est impensable !

— Pourquoi? Le bowling sert toute l'année, tandis que l'école...

Ballon ne termine pas sa phrase, mais son regard m'éclaire sur la façon de raisonner ici.

— Un bowling! Pourquoi pas un bar *topless*? J'énonce ça pour rire, rire de lui, de ses congénères.

— On en a un! susurre-t-il d'un ton grivois, l'œil un peu cochon.

Ça va de soi. Je suis... je suis... (il n'y a plus d'adjectif pour exprimer comment je suis!).

Après m'être calmé, je pense : tiens, agréable endroit à visiter! Comme je le pense, Ballon articule à voix basse :

— On commence par le bar *topless*?

Il devine mes pensées? Hélas! son chuchotement et son ton de confessionnal me ramènent au sous-sol, à l'école et à ma responsabilité d'instituteur.

— Une autre fois, merci!

Je regarde ma montre. Il part.

— J'viens avec vous!

Il est ravi et m'attend près de l'entrée pendant que je vais changer de chaussettes. De la chambre, je l'entends qui fredonne une chanson que personne ne réussirait à reconnaître.

Un peu d'histoire

Nous marchons et, enthousiaste, l'œil pétillant, Ballon lorgne une maisonnette et déroule en paroles animées son histoire récente ou ancienne. Il a un bagout étourdissant.

— Celle-là, effroyable! La femme est partie avec notre ancien curé. Monsieur le curé! Dix-huit ans de prédication à nous mater d'«Aimez-vous les uns les autres!». C'est pas croyable!

— Pas du tout, il a mis en pratique ses enseignements.

Je me trouve très drôle, mais il n'écoute rien. Atterré, humilié de ce qu'il raconte – peut-être un honteux accroc à sa lignée, aux oubliettes depuis longtemps –, il se replie sur lui-même, mortifié. Pour sympathiser avec lui, j'ajoute :

— Vous n'êtes pas responsable des agissements des membres de votre famille.

Ballon s'arrête net.

— Jamais! Vous entendez, jamais! Jamais quelqu'un de mon lignage oserait agir pareillement. Nous sommes catholiques, monsieur! Catholiques pratiquants! On ne... jamais avec un prêtre! Encore moins le curé!

Il rage, sa salive fait des bulles, moutonne.

— Pourquoi êtes-vous si accablé?

— Je suis né ici, monsieur! insistant sur l'*ici*. Vous comprenez?

— Pas vraiment.

— Évidemment! Vous êtes de la ville, vous pouvez pas savoir. Vous êtes de la ville, n'est-ce pas?

Ses doigts pincent ses lèvres, gommant les traces d'indignation qui le dominent cruellement. Il veut retrouver sa jovialité égarée. Bruyamment, il renifle, puis, une fois gonflée d'air, sa bouche chuinte comme un jet de vapeur le souffle vicié, et Ballon se dégonfle comme une *balloune*.

Il tient tant à me démontrer la portée de ses paroles :

— C'est petit ici, le monde s'connaît. Imaginez quelqu'un d'*ici*, de père en fils, voilà des générations et des générations? Pire que ça, moi; mes ancêtres font partie des premiers colons arrivés dans ce village! Là, vous voyez?

— Il y a si longtemps!

Je suis dépassé par son raisonnement.

— Le temps? C'est... c'est *tout*, le temps!

Je le sens grave, facilement irritable. Devenir témoin d'un ballon sur le point de passer au pourpre? Non! Je le laisse prendre un peu d'avance.

— Bon Dieu! Le temps à la ville c'est de l'argent, mais pas ici. Non! Ici le temps c'est de l'histoire!

Il s'éloigne, et je ne saisis plus un mot de ce petit bonhomme rondouillard qui ponctue chaque fin de ses phrases d'une contraction comique des épaules et du cou. Stupéfiant! J'ai l'illusion du coq qui déambule dans sa basse-cour. Intrigué par ce qu'il affirme, je voudrais l'appeler, mais je ne connais pas son nom. Je ne peux pas crier : Hé! Ballon!

Je le rejoins.

— Où êtes-vous ?

Enfin, il réalise qu'il parle seul, il me cherche. Quand il m'aperçoit loin derrière lui, il hurle :

— Qu'est-ce que vous faites ?

— Ah ! Mon... lacet est dénoué ! Je cours et, vite, j'arrive à sa hauteur.

— Vous voyez maintenant ? qu'il lance d'un ton emphatique.

Il se figure que j'ai compris.

— C'est, c'est évident !

Je me déride du ridicule de la situation.

— Bon ! Tant mieux ! Je le savais. Je le savais que j'y arriverais ! Bien ! Bien !

Ballon exulte, ses courtes mains frappent violemment leurs paumes avec une satisfaction du devoir accompli. Je l'observe de plus près et, sous ses traits passionnés, les vestiges d'un autrefois renaissent. Il est semblable à un arbre veiné ; ses rides témoignent de temps révolus. C'est son « histoire » retracée avec ferveur et que ma stupidité, mon ignorance n'ont pas cru bon d'écouter ! Je le regrette.

Il ne parle plus. Silencieux, nous marchons, lui préoccupé, moi examinant les maisonnettes. À certaines d'entre elles, j'aimerais qu'il ranime un peu de leur passé ; mais non, il ne s'intéresse qu'aux graviers. Soudain, je me rends compte que nous faisons le trajet que j'ai fait hier avec Zozoteuse. Nous approchons de l'énorme haie et de son maudit raccourci. Ballon ne remarque rien, mais moi, dans mes tripes, je sens escalader l'horreur, la hargne, la peur – oui, je l'admets, la peur – de revoir sur mon chemin cette puante et inhumaine bête : Chien-veau. Il s'immobilise.

— Tiens, y'a un trou dans le chèvrefeuille !

— Vous connaissez les gens qui habitent ici ?

— Bizarre...

Il me tire par un bras pour murmurer un peu à l'écart :

— C'est un animal monstrueux et niais, tellement niais. Comment vous expliquer...

— Je sais !

Je suis paniqué.

— Vous le connaissez?

— Oui!

Ballon ne me croit pas.

— Vous l'avez franchement vu?

Ses bras, ses mains miment la taille, la forme du chien-veau. Je hoche Oui! de la tête.

— Vous avez vu? le veau?

— Ah, c'est un veau! (Je ne me suis pas trompé.)

— Enfin, non, c'est pas un veau, mais c'est pareil.

Ses doigts serrent mon épaule pendant qu'il parle très bas, jetant entre chaque mot un œil angoissé sur la haie.

— On voulait se débarrasser de ce maudit veau, enfin chien.

— C'est un chien-veau! pour moi, c'est indéniable.

Ça le paralyse sur-le-champ.

Ballon reste là, inerte.

— Monsieur? Monsieur?

Il se dresse momifié, avec à peine ses paupières qui cillent de temps à autre.

— Monsieur, je vous en prie!

Je ne peux pas dire combien de temps ça dure, trop longtemps pour moi. Finalement, je sens une lueur de vie dans l'un de ses yeux, puis dans l'autre; ses mains, ses doigts frétillent; petit à petit, Ballon reprend son apparence de «bien portant».

Son regard malicieux me fixe et son sourire à moitié édenté s'élargit.

— Vous avez raison! C'est un chien-veau!

Ma trouvaille «chien-veau» l'emballe. Ses jambes courtes trépignent, ses mains battent.

— Mais continuez, s'il vous plaît!

— Mais oui! Chien-veau, chien-veau!

Il ne se fatigue pas de le répéter en écho:

— Chien-veau! Chien-veau! Chien-veau!

Il se le rit, se le crie. Après un très long moment, je m'interroge: est-il au bord de la folie? Ballon pleure maintenant, c'est de peine ou de joie? Je l'ignore. Il se tortille, se tord;

comme du boudin oublié sur le gril brûlant se défait de sa tripe, il se contorsionne.

De sa chemise fripée qui pendouille des deux côtés de son pantalon, il finit par s'éponger les yeux, le front, la figure.

Cependant, il a beaucoup de difficulté à raconter l'histoire du chien-veau.

— Ah! C'est pas facile. Tous ont peur de passer par cette route. Y'a même fallu, entendez-vous, construire une autre route à cause de ce chien...

Son rire menace d'éclater lorsqu'il nomme : ... d'un chien-veau! Assez! Assez, voyons!

Violemment, Ballon se gifle à toute volée. La sclérotique rougie, les joues violacées, il poursuit :

— C'était la manchette des journaux de la grande ville : une route pour contourner un chien! Un gros titre. Ha! ha! ha! Heureusement, pas la première page. Mais le maire a perdu ses élections à cause de ce... chien-veau! Là, il lui est impossible de se modérer.

J'essaie de le faire parler :

— Le maire? Quel maire?

Ballon a toutes les misères du monde à se dominer. Ses phrases s'échappent de sa bouche tordue, morcelées, étouffées dans ses rires :

— De toute façon vous l'avez pas connu. C'est... c'est cette calamité qui a permis à tous les représentants de notre parti de rentrer à... à plate couture!

Et c'est l'explosion! Sa démence s'accroît en cris rauques interminables, en râles agonisants, en gémissements asthmatiques.

La suite m'éclaire sur la démesure de son récit :

— Moi, j'suis rentré par une voix. Imaginez, *une* seule voix de majorité! Son index haut dans le ciel. Grâce à Dieu, j'ai voté pour moi! Si je l'avais écoutée, ma femme, j'aurais voté pour mon adversaire. Imbécile! La moitié, ça connaît rien à la politique! Hein?

— Si vous le dites!

Il s'apaise, ensuite, je lui avoue :

— Moi aussi j'aurais voté pour mon adversaire, enfin, j'crois; c'est être gentleman!

— Vous connaissez rien! Gentleman! Ils nous font croire qu'ils votent pour... Allez-y voir, hein?

Ballon parle fort. Je suis déboussolé, car il se remet à marcher sans m'avertir.

— Dans l'isoloir vous êtes isolé, non? Vous et *votre* conscience. Penses-tu qu'elle souffle : vote pour Un tel! Ben non voyons! A te fait faire une p'tite croix, pis ça prend pas de temps, une *tite* croix à bonne place à part de ça. Gentleman? Imbécile!

Il est redevenu bourru. C'est une soupe au lait! Impossible de le talonner, il va – une poule pas de tête – dans toutes les directions.

— Et Chien-veau?

Je veux en finir avec le veau, mais Ballon bougonne, accroché à son unique voix de majorité; alors, je lui emboîte le pas.

Soudain, il s'immobilise – sa bouderie disparaît d'un coup.

— Chien-veau! C'pas bête! Ça prend ben un *étrange* pour voir clair dans l'brouillard.

Il sourit, son regard contemplatif posé sur moi témoigne de son contentement. Je suis, je dois l'admettre, flatté et intimidé.

— Chien-veau est arrivé un beau jour, c'est pas important comment! La première personne qui l'a vu c'est monsieur le curé qui achevait le tour de ses paroissiens pour chercher sa dîme... pour se payer du bon temps l'animal! c'est dit entre les dents.

— Le curé qui...?

— Oui! Le déshonneur de la paroisse, partir avec la femme de...

— Oui, c'est épouvantable. Revenons à Chien-veau.

— Ah oui! Tant pis pour lui, c'est ce qu'y méritait. Un tas de lambeaux puants.

— Chien-veau?

— Mais non, la soutane du curé. Y était crotté, méconnaissable. Y puait c'est pas *disable*. On a déposé une plainte, mais avant que ça passe devant le juge, le monde avait oublié ; le curé, lui, était déjà loin avec la pauvre folle, Chien-veau se tenait tranquille, son propriétaire le gardait dans sa cour, pis comme y avait déjà été maire dans l'temps...

— Qui ça, maire ?

— Le propriétaire de... Chien-veau !

— Celui qui a perdu ses élections ?

— Mais non, celui-là c'est pas mal plus tard !

Ballon s'énerve ; je feins d'avoir compris encore une fois.

— Bon ! Là vous saisissez tout, n'est-ce pas ?

— Oui, c'est si simple !

— Oh non ! C'est pas simple !

Il est de nouveau tourmenté.

La légende du chien-veau n'est pas terminée ? Pourquoi tant de mystère ? C'est qu'un chien ! et même si c'est un chien-veau, pourquoi ne pas raconter ce qui s'est passé ?

Je ne dévoile pas mes questionnements car, de lui-même et pour lui-même, Ballon relate :

— Maudit sort ! Une si belle jeune femme. Belle, vous pouvez pas imaginer. Même pas la trentaine. Jamais on l'a entendue, non, pas un iota de mot. Elle traînait un bout de papier dans une poche pour écrire dessus ce qu'elle ne disait pas. Un soir, à une assemblée publique, à la période des questions, elle a tendu sa feuille chiffonnée au maire, qui l'a lue à voix haute : « J'ai peur ! » « De quoi ? » que les deux personnes dans la salle se sont demandé avec nous autres.

La tête de Ballon exprime son impérissable impuissance. Mes interrogations, je les ai toujours, mais par laquelle commencer ? Quand ma bouche s'ouvre pour parler, elle ne peut pas.

— C'est p'tit ici. Personne se mêle des affaires des autres. Connaissez-vous quelqu'un qui a rien à cacher ?

Pourquoi répondre ? Il n'y tient pas vraiment, car il se fiche complètement de mon avis et reprend :

— On a chacun des choses à taire. Pour quelles raisons depuis que nous nous promenons, vous et moi, on n'a rencontré personne?

— C'est pourtant vrai, et c'est pas la première fois que je m'en étonne.

J'attends.

— Vous le savez. Allez!

Deux yeux décidés me fixent. Je ne le reconnais plus, lui le Ballon soupe au lait qui se montre tout à coup si assuré; où est-il, le petit bonhomme jovial, amusant, qui sautillait sur sa chaise en me parlant de ses calendriers?

— De quoi elle avait peur cette magnifique jeunesse? Il me dévisage. De quoi ont-ils tous peur?

Là, sa voix vibrante m'ordonne de répondre. Je me retrouve comme lorsque j'étais enfant, à la petite école, écrasé sous la gravité des questions de monsieur l'Inspecteur général.

Une si grande détermination émane de son regard que je suis dans l'obligation, après une attente interminable, de risquer une craintive opinion.

— De... la vie? Je suis perplexe.

Ballon me sourit et, résigné, me souffle la bonne réponse:

— Du mauvais sort, monsieur Feticlair, du *mauvais sort*!

Je bée d'étonnement, totalement sidéré.

Oui, déjà j'ai pensé à cette hypothèse face à face avec le veau; mais c'était plus une blague qu'autre chose. Le mauvais sort! Je me demande: qu'est-ce que je fous ici? Qu'est-ce qui m'a pris de venir dans ce maudit coin de pays? Intérieurement je me réponds: *ta* rupture! ta maudite rupture!

Ballon s'éloigne sur le sentier, ce sont les lamentations des cailloux sous ses pas qui me sortent de la torpeur; je le rejoins, démoralisé par ses propos, pendant que ma dernière rupture et celles d'avant hantent ma mémoire. Chaque fois, j'ai été incapable de demeurer à l'endroit où elles avaient eu lieu, mes ruptures, chaque fois, j'ai paniqué et cherché à enseigner dans une autre école. J'ai déménagé,

déménagé, déménagé! Jusqu'à aujourd'hui ça s'est assez bien passé. Mais... le mauvais sort! Absurde! Pauvre Ballon! Quelle stupidité, quelle étroitesse d'esprit!

Il conclut, attristé :

— On l'a jamais revue!

Je n'ai pas compris, sa voix tremblote.

— Pardon?

De tout son être il martèle chaque syllabe de sa dernière phrase :

— On-l'a-ja-mais-re-vue!

Je ne peux pas le croire, alors j'insiste un peu trop à son goût :

— Vous n'avez jamais revu qui?

— Êtes-vous borné?

Des flamèches de fureur allument ses prunelles.

— M'écoutez-vous? Vous trouvez mon histoire absurde? Vous croyez qu'il est bête et stupide ce p'tit homme rond comme un ballon?

Il est au courant que je l'appelle Ballon? Dans mon cerveau tout se passe très vite. Y'a plus de doute, Ballon les lit, mes pensées secrètes! J'ai droit au cramoisi, tomate, fraise écarlate : c'est un sanguin! et, semblable à la bouilloire sur le point d'émettre son son strident, je le débranche :

— Calmez-vous, vous allez y rester. Comment voulez-vous que je réagisse à ce que vous racontez? Jamais, de ma vie, j'ai entendu une histoire aussi...

Mes voix intérieures me supplient : «Choisis le bon mot, choisis le bon mot!» Je le sais sensible – une mine –, prêt à exploser.

— ...étrange?

Cela lui plaît. Ses crispations s'estompent; d'écarlate il rosit saumon, lilas, rosé, puis beige – pareil aux cadavres exposés lorsque leur peau a bu leur maquillage.

— Vous ne croyez quand même pas que le chien-veau, c'est cette jeune femme?

Je ris pour détendre un peu l'atmosphère, c'est d'un ridicule. *Illico*, l'ensemble de ses couleurs rageuses lui reviennent et il tonne, gueule ouverte, voix bêlante :

— Ouiiiiiiiiiiiiiiiiiiiiiiiiiiiii ! ! !

Plus envie de rire ! Je suis ébranlé par tant de sottises.

Plus rien entendre !

Au galop, je regagne ma remise.

« *Je vais partir d'ici !* »

— J'ai perdu mon temps !

Enragé, je raccompagne les pas rapides, agressifs et quasi militaires de mon corps hors de contrôle. En entrant, mes muscles sont si contractés que la porte se métamorphose en souffre-douleur ; je l'ouvre-ferme de toutes mes forces à plusieurs reprises pour me procurer une illusion de calme. La remise tressaille.

(Dieu que dans mon souvenir ces forces-là me sont insoupçonnées.)

Hagard, assis par terre devant la porte, mes mains tremblantes resserrées sur la poignée – en pensée c'est au cou du Ballon –, je suis pétrifié par tant de bêtise humaine. Je sursaute lorsque j'entends derrière moi :

— C'est toi ? Tant mieux ! J'ai eu peur.

Elle m'emmerde, la panthère Rose. De dos, je lui demande :

— Qu'est-ce que tu fais là ?

D'abord, ses doigts parlent à ma nuque, à mon dos, ensuite, ils glissent à la naissance de mes fesses et les triturent avec ferveur ; son souffle impétueux à mon oreille embrouille à tel point mes idées qu'il provoque dans chaque fibre de mon être un embrasement spontané.

— Laboure-moi !

Je regarde Rose. Elle est nue. Pourquoi je la vois pareille à ces gros vers blancs qui se cachent au cœur des troncs des vieux arbres pourris ? Parce que ses deux énormes tétons blancs, qui pourlèchent de gratitude ma figure crispée, ondoient comme eux. En un « tour de seins », ses mamelles envahissent ma raison ; plus de place pour l'incroyable histoire de Ballon. Ma bouche, mes lèvres touchent aux délires voluptueux et – pour tout oublier, j'imagine – je me laisse bercer par Rose.

D'un œil neuf, je redécouvre les différentes pièces de ma remise ; grâce à Rose qui décuple, intarissable, ses touchers, ses baisers, ses chaudes salives. Après des heures de course, de va-et-vient, de joute, elle se livre enfin au repos sur mes chairs surchargées. Hélas ! pantelant, je n'arrive plus à respirer normalement. Elle le voit, se soulève, et vite j'inspire un peu d'air, car elle reflue sur mon corps en marée montante, calés que nous sommes entre la baignoire et la cuvette des toilettes. Comment sommes-nous arrivés là ? Je ne sais pas ! Elle sourit, rit heureuse, pendant que moi j'étouffe à perdre connaissance.

Mes souvenirs s'embrument dès cet instant.

Au moment où je reprends conscience, allongé sur le lit encombré de nos deux masses charnelles rassasiées, Rose épice le souvenir de nos triviales péripéties de petits détails croustillants et tamponne la moiteur de mon front avec sa petite culotte rose. Elle narre avec une telle volupté le court temps de ma défaillance qu'elle atteint sans retenue des orgasmes à répétition. Au début, je suis envieux, mais au fur et à mesure qu'elle avance dans son invraisemblable exposé, le scepticisme occupe lentement mes pensées.

C'est d'un fabuleux ! D'après Rose, le fait de me voir coincé, prisonnier, inconscient, l'aiguillonne. Me voir étalé dans cette pose, cette nudité, cette demi-érection, l'embrase au plus haut point.

— T'avais l'air d'un chérubin en chocolat blanc ! Elle rit, polissonne.

Comme jamais dans sa vie, elle déserte sa pudeur pour se perdre dans les vertiges de ses fantasmes refoulés. C'est ce qu'elle me confie rougissante, égrillarde.

Les forces me reviennent. Les dessous de dentelle de Rose froufroutent à présent sur tout mon corps et une avalanche de frissons inassouvissables se repointent. Tirant le drap pour les dissimuler, je découvre que mes cuisses portent des ecchymoses. Rose susurre :

— Béqué bobo!

Ses lèvres humides baisent les petites marques violacées qui forment des dessins.

— Je vais partir d'ici!

Je le dis et me couvre du drap qui résiste, collé à ses fesses.

— Tu peux pas! T'arrives!

Affolée, elle se lève, trépigne près du lit.

— J'pars pas moi!

— C'est une erreur de rester, je le sens. C'est la...

Comment lui exprimer ce que je ressens? Est-ce que je peux? Faire encore du cul avec elle serait tellement plus simple. Elle pleurniche: «J'pars pas moi, moi?» arpentant la chambrette. Ses nichons bondissants apportent tout leur poids à ce qu'elle radote. Eux aussi sont contre moi.

Puis c'est le silence. Plusieurs silences. Désemparée, Rose se met à fouiller, à chercher quelque chose; son slip dans une main lui sert de mouchoir, il absorbe son insécurité larmoyante. Ce sont ses vêtements qu'elle cherche. Elle les enfile, moins gracieusement que la première fois. Lorsqu'elle s'aperçoit qu'elle n'a pas mis sa petite culotte, elle me la lance à la figure et part derrière la porte qu'elle claque.

...encore seul...

Je suis encore seul, l'odorat enfoui dans l'intimité parfumée au varech, à l'humus de Rose. Est-ce que je serais lâche de partir? Me sauver après seulement trois jours? Allongé, foisonnant de tensions, du crâne aux talons, j'en braillerais.

Tout, oui, tout est si compliqué. Pourquoi? Ma vie était facile avant...? avant...?

Je pourchasse une date, une année comme point de départ à mes ennuis.

Vingt-huit ans! Je me redresse. Pourquoi vingt-huit ans? Il faut que je sache pourquoi!

Les bras dépliés de chaque côté de mon corps s'arc-boutent au matelas, ma tête s'incline, c'est ma boule de cristal, ma boule-de-souvenirs. Doucement, ma respiration creuse sa voie vers mon bas-ventre, mes paupières se ferment. Je ne poursuis qu'un but : me rappeler les événements responsables du fouillis qu'est ma vie.

Les images se bousculent. Je ne peux pas les freiner, en fixer une ; je respire plus profondément, je respire loin, si loin (le passé me bouleverse, je me calme). Moins farouches, doucettement, une à une, les images apparaissent. C'est mon père que je vois, il me donne une fessée. Je n'ai jamais compris celle-là, *surtout* celle-là. Je suis petiot, trois ans, gigotant à plat ventre sur des fémurs d'homme ; mes fesses sont découvertes et rougeaudes, mon visage empourpré de rage, et lui rabâche «On ne dit jamais non à une femme, encore moins à une maman !». Et voilà, j'ai sept ans ! Maman pointe vers moi son index menaçant et oblige ma langue jeunotte et rose à lécher mon œuvre gribouillée de son rouge à lèvres sur le carrelage en céramique de la salle de bains.

Y'a que moi qui sais ce que c'est !

Ils étaient froids les carreaux où j'avais dessiné – sans aucune évocation dans mon souvenir – des femmes nues ! Je crois aujourd'hui qu'elles étaient mal foutues.

Depuis lors, j'ai regretté d'être l'unique enfant de mes parents. Quel plaisir de pouvoir mentir : c'est pas moi, c'est lui ! c'est elle ! Ça n'a été qu'un rêve impossible, car au premier instant de ma «confection», mes parents se sont arrêtés de copuler. Je l'ai appris de ma mère, elle me l'a révélé à mes huit ans. Trois ans plus tard, je me troublais, je vivais ma première expérience sexuelle avec l'amie alcoolique.

Je piétine, encore distrait par n'importe quoi. Il faut que je trouve l'image, «l'image miraculeuse».

De nouveau, je replonge dans les profondeurs ; d'autres souvenirs émergent. Je prie, oui, je prie dans une église ; je prie la Vierge Marie avec une convoitise libidineuse. Non ? C'est Élise en madone toute pâle qui frissonne de sa tête à ses petons. Sa poitrine quémande. Elle tient un de ses seins – sublimité invitante – dans chacune de ses paumes.

(Élise est toujours mon unique grand amour, qui m'a poussé ici.)

Mes mains molles s'étirent pour glorifier ces petits êtres chers, et tout se fige ; les seins d'Élise implorent, je ne fais rien. Je suis désarmé.

Je m'affaisse sur l'oreiller. Lorsque je flaire l'odeur de Rose à côté de moi, j'ouvre les yeux et je jette sa culotte par terre.

Pour la première fois dans ma vie, *le cul* n'arrive pas à me combler. J'étais à deux doigts de prendre les tétons d'Élise Vierge Marie, et je me fais pitié de ne pas l'avoir fait !

Heureusement, c'était dans mon imagination, ça ne veut rien dire !

Pourtant, il y a autre chose que j'ai ressenti presque en même temps, comme juxtaposé, une impression, rapide comme un clin d'œil, un flash : je ne peux plus fuir !

Le temps passe. Je suis distrait par le bruit d'une porte qui s'ouvre, des pas lents qui se rapprochent. Anxieux, le regard rivé au trou béant de l'entrée de ma chambre...

— Non, c'est pas vrai ! Qu'est-ce que vous foutez ici ? (C'est Squelette.) Vous n'auriez pas pu frapper ?

— J'ai frappé !

Il s'arrête au bord du lit et, inspectant tout autour, il sort rapidement. Bon débarras ! Non, aussi vite il réapparaît, apportant avec lui une chaise. Il prend son temps pour s'asseoir à califourchon, les mains pendantes, les avant-bras appuyés sur le dossier.

— Êtes-vous pour l'uranisme, monsieur Fetitclair ?

— Quoi ? Quoi ? Quoi ? Je suis bègue.

Quelle audace, quel sans gêne ! Debout, j'oublie que je suis nu et marche de long en large. Lui, retrousse un œil voyeur. Habilement, du mieux que je peux, je masque fesses, sexe, ma honte de mes deux mains et, intimidé, je me sauve dans la salle de bains soit à reculons, soit de côté. Mon pied pousse la porte qui grince. (C'est la première fois qu'un homme me convoite intensément.) J'enfile ma robe de chambre pendant que le miroir reflète ma figure honteuse. «Comment tu vas t'en débarrasser ?» qu'il crâne, le miroir. Squelette, observateur indélicat dans la glace, par la fente de l'entrebâillement, me sourit un :

— Vous avez peur ?

— Peur, moi ?

Je tremblote.

Il se gargarise de rires et avance carrément sur moi. Décharné et blême, son bras droit s'étire ; il ne finit plus de grandir, puis ses quatorze phalanges osseuses planent un instant au-dessus de ma tête pour finalement atterrir dans mes cheveux bouclés. Ses longs doigts, craquant, caressent mes frisettes.

Je ne sais jamais quoi faire, c'est pour ça que j'ai peur ! Je me hais, et lui flatte ma tignasse avec plus d'assurance, glisse vers ma nuque.

— Assez ! C'est assez !

J'agrippe l'avant-bras de ce Squelette répugnant si brutalement qu'il pousse un cri aigu.

— Prends la porte !

Il s'y précipite, proférant des menaces à tous vents. Je ne l'écoute pas, je me demande dans quel pays de fous je suis.

Qui est Squelette ? un homosexuel refoulé ? Quelle horreur !

Transi, en nage, « Ah ! c'est qu'un rêve ! ». Je le comprends beaucoup plus tard quand, bien éveillé, je me rends compte que la chaise n'est pas là ; je ne suis pas revêtu de ma robe de chambre, la porte est fermée et je suis allongé nu sur le lit, la face dans l'oreiller odorant. Je rigole.

— Partir ou ne pas partir ?

Fini de rigoler ! J'aurais dû devenir commis-voyageur !

Des idées bizarres s'entrechoquent dans ma cervelle. Pourquoi je n'ai pas de maladie incurable, de handicap pour me prendre en pitié ? Je reproche à mes parents de ne pas m'avoir affligé d'une petite infirmité pour qu'on s'apitoie ensemble sur mon sort de temps à autre.

Si petite soit-elle, je l'accepterais ! Des orteils en moins ou en trop ; un sexe démesuré ou atrophié ; une tête un peu béotienne... Non !

Complètement écœuré, je vocifère à la face du monde l'injustice d'être normal :

— Ahhhhhhhhhhhhhhhhhhhhhhhhhhhhhhhhhhhhhhhhh !

Quel soulagement, quelle détente. C'est *ça*, le cri primal?

Je prends un bain rapide, puis je pars pour nulle part.

Les bosses ?

— Quelle heure est-il? pourquoi se demande-t-on l'heure?

Un gargouillement sans fin farfouille mon estomac, j'ai faim. Manger? Non! pas le goût. Marcher? Oui! J'ai pas le goût à grand-chose, qu'à marcher, oui marcher!

Les plaintes des cailloux m'accompagnent, et j'y trouve plaisir. De toutes mes énergies, je les piétine, je tournoie sur la pointe de mes chaussures pour qu'ils hurlent, gémissent, beuglent : pitié! pitié! Je mets sur eux mon ardeur et mon poids; mon imagination s'exalte.

Que j'aimerais être gros, immense comme Rose! Je poserais mon obèse cul nu sur ces graviers jusqu'à ce qu'ils bleuissent, asphyxiés.

J'avance seul et cette solitude inconnue me paraît moins éprouvante. Où sont les habitants du village? Je ne connais toujours pas la réponse.

C'est un village fantôme?

Depuis que je suis né, ça m'effraie les fantômes! Ma mère, dès mon enfance, s'était amusée inlassablement à nourrir mon angoisse. Souvent, elle m'a menacé de l'apparition du spectre de mon grand-père – vieux débris vu sur des photos très vieilles, foncées, jaunies – parce que je ne faisais pas ce qu'elle me demandait. Ces nuits-là, de terreur, autour de moi je déployais mes nombreux toutous en peluche pour qu'ils me protègent. J'étais sûr qu'ils me défendraient : à cet âge on arrive à le croire. Quels cauchemars inimaginables! Poltrons, mes toutous se cachaient au moindre craquement, sous les couvertures.

Tiens, il y a un écriteau : Attention Bosses! Je cherche des bosses. Rien, pas une seule. Qu'est-ce qu'une bosse pour les gens de ce coin perdu?

Sans prévenir, mes pas m'ont mené aux limites du sentier ; une foulée de plus et fini le chemin graveleux ! Finies les plaintes de ces maudits cailloux ! Derrière la planche de bois clouée sur un piquet où est peint Attention Bosses ! en inégales lettres noires, un interminable champ avec des arbres maigrichons ici et là, éparpillés dans une mer de brindilles ; des joncs, des phragmites, quelques quenouilles chancellent languissantes. Le coin perdu et ses poussières se cramponnent aux talons de mes souliers.

Je contourne les chétifs arbustes – de vrais Biafrais moribonds – qu'au passage je réconforte d'un effleurement de la main ; flâneur, je foule les herbes et mes lèvres sifflotent.

Tout à coup, je perds pied et culbute dans un gouffre.

— Maman !!!

Je n'en reviens pas. C'est la deuxième fois que je crie spontanément « Maman » !

Pourquoi appelle-t-on sa maman dans un moment de panique ?

Je me souviens de la première fois. J'étais couché et le dodo et moi on ne se trouvait pas ; à mes côtés, dans le lit, Elle – je ne sais plus son nom – se vautrait déjà dans son sommeil. Dans le temps, j'avais coutume de garder de faction une veilleuse rouge allumée dans le passage adjacent à ma chambre. Je fixais sa mince lueur et je m'endormais, c'était soporifique. J'aimais ce rituel. Un soir tiède d'été, où la lune pleine dévisage ce qu'elle éclaire en jalouse envahissante, j'avais remarqué une ombre qui fuyait dans l'embrasure de la porte. T'as des visions, Maurice ! Je m'imaginais si fatigué. Obstiné, je cherchais sans relâche le sommeil lorsqu'un cri strident, saccadé, avait été poussé dans l'infinie pénombre de la pièce. Horreur ! Un seul animal émettait un son pareil : la chauve-souris ! Voilà mes visions ! Anxieux, j'avais abrité ma chevelure sous la couverture, espérant un miracle. Elle, « souris chauve », dialoguait avec papa ou sœurette qui voletaient à l'air libre. Doucement, j'avais fait glisser le drap pour apercevoir la « chose », en ombre chinoise, accrochée aux mailles de la moustiquaire.

Fais un homme de toi !

Je m'étais levé si lentement que personne ne m'avait entendu. Sur le point de l'emprisonner, les deux vantaux de la fenêtre se souderaient l'un à l'autre et je crierais Victoire ! Je félicitais d'avance ma bravoure.

— Maman !!!

Dégoûtant ! Répugnant ! La chauve-souris s'était faufilée et m'avait frôlé une couille de son aile. Maintenant, finies les peurs, voilà l'honneur. En cette fin de nuit mémorable, je livrais un combat digne des chevaliers de la Table ronde ; je me réincarnais : Lancelot du Lac !

Après une dure lutte, aux petites heures du matin, il ne manquait que mes lauriers de vainqueur.

Je guette la lumière qui frôle l'orifice. Personne. Personne n'accourt à mon cri de détresse : Maman !

Si tu n'étais pas à mille lieux sous la mer ! M'as-tu entendu ?

Pour m'accrocher au rebord de ce maudit trou, je saute, m'étire, m'allonge. Impossible, il faudrait que je grandisse encore. Comme je n'ai pas le temps, je hurle :

— À l'aide, *help*, au secours ! Je m'époumonne de rage, repensant à l'écriteau : Attention Bosses ! Quelles bosses ? C'est un « trou », pas des bosses. C'était trou qu'il fallait écrire. Bande de crétins ! Débiles !

Soudain, j'entends un bruit sourd de pas lourds sur le sol. Je suis tellement heureux que je m'égosille de joie à vibrer de la luette.

— Nonnnnnnnnn ! Pas lui ! Pas cette chose ! Pitié ! Laissez-moi mourir !

Il me faut d'innombrables minutes désespérantes pour croire encore dans l'existence. Je suis atterré, vidé à la vue du chien-veau ! Et moi qui l'avais oublié. Pas lui ! Il sourit, me domine au-dessus du trou. Je sais qu'il branle son appendice hirsute, car de microscopiques poussières voltigent dans la clarté et coiffent sa tête hideuse d'un halo.

Ses grosses pattes veulent m'atteindre, me toucher. Espère-t-il me sortir de là à lui seul ? Qu'il est niais, mais niais !

Découragé, je me recroqueville dans les ténèbres de la fosse et, petit, si petit, je n'existe plus. Le veau geint, me cherche; son museau crotté renifle là-haut. Une sécrétion visqueuse gicle, je la reçois en pleine figure.

— Dégoûtant personnage! Sale chien!

Je tempête, essayant d'éviter le flux morveux diluvien pendant que, follement content de me revoir, il glapit, glapit sa béatitude. Il saute si pesamment aux abords de la cavité que chaque atterrissage effrite ses parois, je m'ense-velis tragiquement.

— Assez! Couché! Aux pieds!

Misérable, je crie, et *la* créature innommable exulte. Mes chaussures, que je ne distingue plus, sont inhumées. Elles étaient presque neuves!

— Bonbon! Bonbon! Bonbon!

C'est la dernière carte, ma dernière chance de demeurer parmi les vivants. Pas possible! D'abord il s'arrête, ensuite il se terre en bordure du trou et salive copieusement. C'est infect. Je reçois une pluie de bave poisseuse, répugnante, tout ça à cause du mot bonbon.

— J'ai pas de parapluie! Beau... chien! Beau chien! (Pas facile à dire.) Va, va chercher du secours, va! Il disparaît.

Les minutes s'écoulent dans un ciel volage. De nom-breux cirrus s'allongent, éternels dans l'infini d'un bleu azur, d'un bleu tranquille.

Que c'est beau!

Je prends racine dans une terre grasse, glaiseuse.

Si ce maudit chien pouvait enfin s'amener avec de l'aide.

Je décrotte mes souliers malheureux.

Dans ma vie, j'ai sans cesse voulu que les choses arrivent très vite, mais elles ne se sont jamais passées comme je l'aurais souhaité. Ma mère m'a si souvent rassuré: «Je devinerai toujours tes désirs!», mais étaient-ce mes désirs, ou les siens?

J'aimerais sortir de mon trou!

Le ciel est de plus en plus mobile, moi de plus en plus inerte. Je l'admire, tel l'enfant rivé devant le poste de télé, qui apprend qu'il doit se désennuyer du temps qui, de toute façon, passe et repasse.

Une danse, un ballet pour moi seul. Ils relaxent, les cirrus filiformes : une ballerine perdue dans un tulle vaporeux. Une musique : Erik Satie, les *Gymnopédies*.

Ta, ta, ta, ta ta ta ta ta ta... oui c'est beau !

Où est-il, ce sale animal ? Plus envie de ballet ! de Satie ! Je m'élance à nouveau, espérant me cramponner aux contours du trou. Hélas ! plus je saute, plus je m'enfonce. La glaise gourmande grignote mes chevilles. Quelle misère ! Ma vie est suspendue à un fil : Chien-veau. Je regrette cette idée que j'ai eue d'aller me promener.

— Si j'avais su ! Au secours !

Quelle stupidité d'avoir gardé une tranchée béante en plein champ. J'ai les mains grises et les idées piteuses. Tout à coup, une ombre. Un nuage ? Je lève la tête, oui ! C'est Rose, c'est un nuage !

Je lui demande :

— Qu'est-ce que tu fais là ?

Elle me répond :

— Et toi ?

— Moi ? Je marche, ça se voit pas ?

— Non, pas vraiment.

— Tu veux m'aider à sortir ?

— Non ! Tu pars ? Pars !

J'ai un : Non ! dans la gorge, prêt à supplier. Je ne peux pas.

Attendre, tu dois attendre Chien-veau ! que je me répète pas très convaincu. T'as aucune envie de lui promettre quoi que ce soit ? Non ! je pars ! Le dos appuyé à l'argile, je glisse. Assis sur la terre humide et fraîche, je rêvasse... et m'endors.

Un trait de feu cuit le côté droit de mon visage, sonde ma paupière. Tout en demi-teintes rosées, il enflamme ma pupille voilée. Le soleil ? Mes yeux veulent se rouvrir, mais le plaisir démesuré que j'éprouve m'en empêche. Je me délecte de l'agréable chaleur, elle comble mon crâne. Je suis une casserole pleine d'eau oubliée sur un rond de poêle encore tiède ; je jouis de la tiédeur prisonnière !

Quel plaisir! Quelle paix! Je suis bien en casserole!

J'ouvre les yeux. Le soleil décline, remballant sa pointe de rayon qui me réchauffait. Plaisir de courte durée.

Je me lève pour découvrir que le «temps» m'enfonce dans la glaise dévoreuse; j'en ai maintenant jusqu'aux mollets. Que faire? Si je m'affole, je m'enlise. Si je ne tente rien, je maudis mon impuissance désespérante. Il faut que je m'occupe. Encore et encore, j'essaie d'agripper le bord du trou.

— Tu y arriveras pas.

C'est Rose. Je la vois mal car l'obscurité, indifférente à mon sort, commence à brouiller l'orifice. J'ai l'impression horrible qu'on ferme le couvercle d'une vie, la mienne.

Elle ricane :

— Tu réussiras jamais à sortir. T'as besoin de moi.

— Rose, je regrette ce qui s'est passé.

Moi, Maurice Petitclair, qui sombre dans la glaise froide, je demeure calme et ne ressens aucune peur? Pour une rarissime fois dans ma vie, je viens de dire la vérité? Rose ne parle pas. Est-elle encore là? Je m'en fous complètement; Chien-veau qui n'arrive pas va arriver! Je suis certain!

Peu de temps après, j'entends du bruit. Je crie :

— Ici! J'suis ici!

— Où?

— Amandine, c'est toi?

— Tiens, qu'est-ce que tu fais là?

— J'te raconterai. Va chercher du secours, tu veux?

Je la devine seulement.

— Oui! Viens, Chien!

— Tu parles à qui, qui est avec toi?

Là-haut, deux silhouettes floues dans une noirceur quasi absolue : Amandine et... l'horrible veau – il est si facile à reconnaître. Déchiré entre la joie et la surprise, je bafouille :

— Brave... bête...

Ragaillardi par cet éloge inattendu, Chien-veau me crache sa familière carte de visite : mare de bave puante reçue dans la face.

J'enlève le plus gros de son agglutinant témoignage d'affection. J'aurais préféré un tendre baiser d'Amandine déposé sur ma joue.

Je ne suis même pas fâché, je pue à vomir et je me souris dans l'opacité enveloppante.

Plusieurs fois, je scrute le ciel vidé de ses étoiles, espérant l'apparition d'un libérateur. Mais il n'y a que la nuit. Une nuit mortellement sombre ; une véritable, si noire qu'un Noir debout dans cette noirceur noire passerait pour la nuit. Je ris de bon cœur.

— Pourquoi tu ris, imbécile ?

— Rose ?

— Pourquoi elle était ici, Amandine ?

— Tu la connais ?

— C'est ma p'tite-fille.

— Ta p'tite-fille ?

Ça me foudroie. Si c'est sa petite-fille, elle est la mère de... Jolie ?

— Tu es la mère de...

— Colombe ! Tu la connais aussi ?

C'est la mère de Jolie ! Son ton réprobateur me pétrifie. Je dois être convaincant.

— Mais oui, ton maire me l'a présentée à mon arrivée.

Elle met un temps fou à cogiter pour enfin rugir :

— C'est vrai !

Ouf ! Mais le silence qui s'installe m'annonce des tiraillements à venir. La respiration de Rose s'accélère, hachée, troublée. Quelque chose se prépare ! J'en ai l'intuition. Quelque chose d'horrible ! Je n'ai pas été assez convaincant ? Un drame se trame. Je veux m'enfuir ! Il y a qu'un seul mot que je crierais, c'est : maman ! pour une troisième fois.

— As-tu revu Colombe ? Le souffle de Rose vient de si creux qu'il pue.

— Le jour de mon...

— Non ! Après !

Elle fulmine.

— Réponds !

Elle lance terre, cailloux, herbe, branchages ; ce que ses deux mains affolées attrapent aux abords de la fosse, elle le jette dans mon trou.

— Réponds ! Réponds ! Réponds !

J'ai les yeux, la gorge, le nez obstrués. Je crache le trop-plein et elle remplit, sans me demander mon avis, ma bouche desséchée. Toussant, crachant, pleurant, je me noie dans mon abîme qui, dangereusement, se comble.

— Arrête !

— Porc ! Salaud ! Vicieux !

Elle vomit ses menaces dans des râlements à apeurer une meute de loups affamés par un hiver qui ne finit plus. Puis, essoufflée, Rose cesse. Tapi dans le fond de ma fosse, je sens toujours son haleine aigre.

— Espèce de... de salaud. Après tout ce que j'ai fait pour toi.

Je n'ai pas le temps de me demander ce qu'elle a tant fait pour moi, car elle hurle :

— As-tu couché avec elle ?

Ah ! que j'aimerais que ce soit oui !

Me blottir une longue nuit contre Jolie ; la veiller, contempler sa poitrine s'assoupir. Elle se tournerait, retournerait, tournerait, chercherait la position pour le dodo idéal ; je m'émerveillerais de la voir recouvrir du drap sa blanche épaule frissonnante dans la nuit fraîche ; je l'entendrais rêver, divaguer un nom : Maurice ! Ah oui ! que j'aimerais !

— Réponds ! Réponds ! Réponds !!!

— Non !

— Pourquoi tu veux partir ?

— J'ai rien à faire ici, je le sais !

— Non ! C'est pas vrai !

Sa voix n'est que désolation.

— Aide-moi à sortir, tu veux ?

Elle marmonne, haletante :

— Donne ta main !

À tâtons, je cherche dans le noir épais sa patte ronde.

— Je l'ai !

Je saisis la main et je suis soulevé.

Incroyable! Je suis si facilement hors du trou que je serai toujours étonné de la force de cette femme. Je suis menu, si... vide aussi! Vide! Oui, je me sens comme une pomme évidée, en dedans, debout à côté de Rose que je distingue à peine. Elle se blottit contre moi, tremblante et dolente. Maladroit, je pose mes paumes sur sa tête. Furieuse, elle me repousse si brutalement que je manque de retomber dans le trou.

— J'veux pas de ta pitié!

Le bruissement des herbes sous ses pas la raccompagne, elle s'éloigne. Je reste tout bête à attendre; elle a raison, c'était de la pitié!

Je ne patiente pas très longtemps. J'entends Amandine qui parle et approche. Elle répète à Chien-veau : attention! Pourquoi lui dire ça? Un chien discerne mieux dans l'obscurité que nous, non?

— Monsieur Petitclair?

Ce n'est pas... c'est Jolie? Je rêve? Dans une noirceur à trébucher tous les deux pas? Sauver un homme qu'elle connaît à peine? Je l'appelle :

— Colombe?

— Où êtes-vous?

— J'suis là!

— Vous n'êtes pas en danger?

Chien-veau colle à ma cuisse et réclame son dû de caresses, de remerciements. Je gratte sa tête crasseuse et je m'explique :

— J'étais dans le trou et j'ai fini par ressortir. Voilà ce qui est arrivé.

Jolie, irritée, crie :

— Pourquoi êtes-vous ici?

Elle me fait peur, je réponds :

— Je me promenais.

— Pas ici, c'est dangereux! On vous a pas prévenu?

— Non!

Je suis déconcerté par sa question.

— Pourquoi c'est dangereux?

— Je n'ai pas envie de commencer à vous raconter. Non! Ce serait trop long. Partons! Puis Jolie ordonne «Donnez-moi votre main, je ne veux pas que vous disparaissiez encore une fois ».

Elle s'en empare. Je suis à ce point ému qu'au bord de mes paupières des larmes s'emmagasinent. Heureusement, c'est la nuit ! Amandine, et sa menotte maligne, agrippe la main qui me reste ; elle serre, relâche sa prise. Je rirais bien, mais comme une parcelle de mon être s'enchaîne à Jolie, et que ça me plaît tant, je néglige Zozoteuse. Nous marchons dans le quasi-silence ; seul un froissement d'herbes hautes nous distrait, et elle me sangle dans sa tiédeur, ma Jolie. Finalement, les criailleries des cailloux se font entendre trop vite à mon goût, car Jolie veut abandonner ma main. Je m'y oppose. Jolie s'arrête, son regard que je ne peux voir me gourmande dans la noirceur ; je cède et nous repartons. Amandine ne lâche pas mon autre main, elle tire dessus, la balance, la frappe de la sienne, la triture.

Se taire est de mise, mais ces maudits cailloux papotent... Jolie parle, elle aussi.

— À l'avenir abstenez-vous d'aller vous promener. Ici, on ne se promène pas !

— Pourquoi l'écriteau : Attention Bosses ?

— À cause de la dernière guerre.

— Celle de 39-45 ?

— Oui !

Je ne comprends pas.

— Les Allemands sont venus jusqu'ici ?

— Non, mais ils auraient pu !

— C'est absurde !

Je ris.

Jolie s'immobilise ; je bute contre elle et Amandine sur moi.

— C'est facile de rire aujourd'hui, mais à l'époque les Allemands sont entrés en amont dans le fleuve, assez loin. Les villageois ont pris peur et ont décidé de fabriquer des pièges.

— Alors, pourquoi bosses ?

— Pour les tromper, voyons ! Il y avait quelques bosses, mais derrière chacune de ces bosses y'avait des trous recouverts de branchages.

Elle marche à nouveau ; je la suis, la questionne :

— Et les Allemands ?

— Ils ne sont jamais venus. Mais tout le monde était rassuré.

— Pourquoi y'a encore vos trous ?

— Pour la prochaine.

— La prochaine... ?

— La prochaine guerre ! Ils seront déjà là !

Je suis sidéré. Elle, *ma* Jolie, une femme à l'air intelligent qui débite des âneries ! Décidément, ici, le monde a un grain de folie bien à lui ! Je suis déçu qu'elle soit, elle aussi, bizarre. Pauvre Amandine, elle n'en a pas pour longtemps avant que son cervelet soit atteint ; c'est la dégradation des cerveaux des habitants de ce coin de pays perdu : le crétinisme !

Oui ! C'est un *Pays-Perdu* !

— Vous voilà chez vous !

Elle ne ralentit pas son allure pour me prévenir, et sa fille tire plus fort sur mon bras. Je me penche, Amandine dépose un baiser sur ma joue – celui que je souhaitais – et, à mi-voix, elle me rassure :

— Écoute-la pas, elle est ridicule !

Je suis heureux, sa raison n'est pas atteinte.

Le point

Mettre de l'ordre dans ma tête après une journée et une moitié de nuit aussi... terrassantes est peine perdue. Je ne trouve pas la force, et celle qui m'attend ne va pas m'aider.

Dès que j'ouvre la porte, Rose se rue sur moi. Sa main plaquée sur mes lèvres, elle déclare :

— Je t'aime ! Partons !

Je suis content que sa paume bouche ma bouche, car je ne sais quoi répliquer, comme d'habitude. Elle, par contre, sort toutes sortes de niaiseries :

— Faisons l'amour ! Partons sans bruit !

Ces paroles éveillent en moi un souvenir, une vieille mélodie que ma mère chantonnait : *Partons la mer est bel-el-le...* avec quelques harmonies douteuses.

Dans mon crâne, la résonance «Faisons l'amour...» se multiplie à l'infini. Quels tourments! Je le fais ou je le fais pas?

Rose déboucle ma ceinture de ses doigts libres, tire sur mon jeans glaiseux et harponne du même geste mon sous-vêtement. Je n'ai pas à décider, elle prend la chose en main. Le tout glisse sur mes cuisses avec souplesse. Ensuite, après avoir libéré mes lèvres, Rose s'agenouille et cajole mon sexe endormi. Il s'anime. Il décuple sa force, sa taille. Chancelant, je m'adosse contre la porte pendant que Rose me porte à l'apothéose de chaque fibre enfiévrée de mon corps; je savoure la sensualité de Rose dans toute sa féminité.

Lorsqu'elle me sait au bord de projeter fougueusement au dehors ma semence – si bien aspirée par le mouvement de ses lèvres et que je lui signale par de longues respirations plaintives –, Rose se relève, frôle ma joue et m'écarte d'elle.

— Pars si tu veux!

Le double de la clef qui lui avait permis de me surprendre quelquefois tombe à mes pieds, puis elle sort.

Confus, secoué de lascivetés non éjaculées, j'imite la clef; je pose mes fesses sur le plancher froid.

Je suis l'objet de Rose. Un faible! Elle en profite. Elle reviendrait et je me ferais encore baiser en me demandant où cela me mènerait!

Recroquevillé et brûlant, je m'endors.

Au matin, c'est la fraîcheur de l'air s'infiltrant entre le seuil et l'huis mal joints qui me tire du sommeil. Nu-fesses, je ramasse la clef, puis je vais me réchauffer dans un bain.

Le temps finit par passer!

Que le temps passe vite! C'est une réflexion de vieux, ça! Je vieillis! Tant mieux!

Tellement d'événements, tous plus invraisemblables les uns que les autres, se sont succédé que je ne me suis plus appliqué à écrire dans le cahier de classe découvert au premier jour les faits et gestes de mes journées, de mes nuits. Le petit livre-journal est jeté à la poubelle.

Je ne me demande plus pourquoi je suis ici encore et toujours. C'est le destin, *mon destin* !

L'école...

L'école ? J'ai commencé – il y a... (combien de temps déjà ?) – à enseigner dans le sous-sol de l'église. Ma classe, un ramassis d'enfants disparates de six à..., le plus vieux n'a jamais voulu me dire son âge, je lui donne dix-neuf ans.

Bordel infernal ! Tour de Babel ! Pas étonnant que cette pauvre madame Lamothe ait eu un accident de voiture ! Je crois même qu'en fait cet accident devait plutôt être un suicide !

Quelques-uns savent lire. Celui de dix-neuf ans ne fait qu'une seule chose : du bruit avec sa bouche ou son trou du cul ; il ponctue la fin de chacune de mes phrases d'un son qui ressemble à un pet ou à un rot.

— C'est le son d'un tuba ! qu'il grimace comme réponse.

La plus jeune a six ans et elle dort tout le temps. Entre le péteur et la dormeuse il y a celui qui passe des heures les dix doigts dans le nez, il dégoûte ses voisins et ses voisines les plus proches ; celle qui a continuellement envie de pisser a égaré sa vessie ; l'ornithologue amateur connaît par cœur les souillures des vitres hautes ; le niais attrapeur de mouches les mange, pour lui c'est une collation ; celle qui a toujours la main levée, à l'affût de la question comme un chien d'arrêt, n'a jamais une bonne réponse ; la plus que parfaite assise en amazone a peur de froisser sa jolie robe de princesse ; l'insomniaque aux yeux rougis se les frotte de ses poings ; Amandine...

Cette mignonne Amandine qui me sourit chaque fois que mon regard trouve le sien.

Chère fille, quel chemin tu m'as fait parcourir !

La candeur du raisonnement qui n'appartient qu'à l'enfance, sa droiture, son innocence : tout se dit, tout doit se dire sans détour.

Assez ! Je n'ai plus envie de poursuivre la description farfelue des rejetons de familles toutes aussi bizarres, conquérants du *Pays-Perdu* voilà trois cents ans, peut-être davantage.

Ici, mon métier d'instituteur se résume à retenir ces phénomènes loin de leurs géniteurs pour une durée minimale de huit heures par jour.

Ici, les journées s'entrelacent dans un fouillis d'us et coutumes qui arrivent, bien malgré moi, à me garder perpétuellement pantois.

Jusqu'à présent, que d'aventures rocambolesques j'ai vécues.

...et le bar topless ?

Ma visite au bar *topless* ne passe pas inaperçue. À peine entré, je vois qu'ils sont là, tout ce qui correspond à l'image du bipède mâle apathique. Leurs têtes se tournent vers moi ; quelques-uns, des piliers de bar que je n'ai pas encore eu le privilège de rencontrer, me dévisagent effrontément. Après avoir serré de nombreuses mains molles, je me rends compte qu'il ne manque que monsieur le curé. Ça va de soi ! Le maire improvise un mot de bienvenue pendant que sur une estrade un groupe de jeunes et jolies formes se tortillent, se frôlent, se caressent. Elles confirment une certitude : j'aime les femmes !

Pourtant, il y a quelque chose d'insensé. Je me raisonne : tu vis ici depuis un bon moment, rien ne doit te surprendre. Malgré tout, je ne m'explique pas que chaque danseuse ait sur la tête un sac de papier brun, de ceux qu'on utilise dans les épiceries. Je ne peux m'empêcher d'exprimer mon incompréhension à monsieur le maire qui répond de tout son savoir que c'est, bien sûr, pour protéger l'anonymat. Je me permets une deuxième question :

— Pourquoi ?

Là, il paraît plus qu'étonné.

— Ce sont nos filles, voyons, nos femmes qui dansent !

Il pivote sur son tabouret face au bar et, reprenant son verre, me laisse bouche bée.

Des cris, des applaudissements résonnent de plus en plus fort. Je ferme la bouche et lorgne du côté de la scène où l'une des aguichantes feint de soulever le sac qui cache son visage. Elle ne l'enlève pas, au grand déplaisir de ses admirateurs miraculeusement ravigotés.

Est-ce Jolie ? Elle a un corps ciselé par le burin d'un Rodin. Une taille fine supporte sa poitrine délicate et en pente douce ; ses mamelons rosés raidissent au souffle frisquet de l'air climatisé. C'est frais ce soir-là, ce fameux soir où, pour semer mes mélancolies, j'ai eu l'audace de courir ici, étudier de plus près les habitants de ce coin de *Pays-Perdu*.

Je cherche Jolie. Celle-là ? celle-là ? Elles sont toutes plus désirables les unes que les autres. Des Déesses, des Beautés, des Ondines, des Nymphes, des Fées à faire saliver le Saint-Siège.

Je divague. Toutes ne sont pas des divinités. Vigilant, je me contente d'apprécier les ensorceleuses, tandis que *les autres*, confinées à l'arrière comme des vêtements démodés, non vendus quand ils étaient au goût du jour – guenilles qu'on empile dans un débarras, au fond du magasin –, ces *autres* ne bougent guère.

Une dizaine de femmes dociles, sages probablement, qui n'ont pas le *sac* à l'ouvrage et sont à la remorque des nymphes qui trônent de leurs fesses, de leurs seins, de leur ventre, les bras ouverts et la jambe haute. Elles travaillent sans joie. Pourquoi le font-elles ? Une routine qui révèle la soumission de ces créatures attachantes. Leur comportement n'incite pas à railler ni à pleurer, mais plutôt à reconnaître en chacune une féminité un peu fanée ; d'elles se dégage une vénérable bonhomie. Bienveillantes, elles attirent l'œil et l'esprit vers une partie de leur corps, et l'offrent avec art et docilité. L'une d'elles, en retrait, passe de consciencieuses minutes à proposer sa poitrine abondante dans une gestuelle si pure, si détachée que seule la désillusion de la vie inspire tant de résignation. J'essaie de me mettre à sa place, je n'y arrive pas. Bon! Je veux en avoir le cœur net et retourne voir mon *indic*. Là, il ne cache pas l'ennui que lui procurent mes questions qu'il juge déplacées.

— Vous ne vous y faites pas, hein? d'avoir accepté le poste d'instituteur dans ce coin perdu?

— C'est pas ça, voyons! (Le sait-il?)

— Mais oui, voyons! Vous remettez en question, et sans arrêt, les coutumes d'ici.

— Je veux simplement comprendre.

— Aucune de mes réponses ne vous contentera.

Il n'a pas tort, le bonhomme. J'insiste :

— D'accord, vous n'avez pas tort, mais éclairez-moi.

Il cueille son verre plein sur le bar, le vide d'un trait et, impatient :

— Ça existe! Pouvez-vous l'accepter?

Il babille chaque mot avec un sourire et une douceur empruntés dans la voix, comme on fait si souvent avec les bébés, les débiles.

Je l'ai insulté. Je veux m'excuser, mais il poursuit sur le même ton :

— De mère en fille, toutes passent par là. Pour nous c'est... ni dégradant, ni... humiliant. C'est la vie!

Je n'en sais pas assez.

— Comment ça a commencé?

Indulgent, il se ressaisit :

— Les filles du Roy? vous vous rappelez?

Je pense : je suis bien trop jeune pour me rappeler l'époque! Il attend ma réponse, je hoche la tête.

— Voilà! C'est depuis ce temps-là que ça dure.

Son œil reluque le barman pour qu'il remplisse son verre au plus vite.

— Même si ces filles s'étaient mariées à des colons, elles n'avaient pas perdu leur *sex-appeal*. Un jour, elles ont décidé pour le moral pas toujours au beau fixe des maris de soulever encore une fois leurs jupes et jupons et de ravigoter leur homme. C'est ce qu'elles faisaient de mieux, non?

Il rit, avale sa gorgée d'alcool entre deux rires, et en redemande. Cela aggrave l'état d'ébriété dans lequel il sombre peu à peu.

Du regard, j'idolâtre les corps qui ne se lassent pas de refaire les mêmes offrandes à un public de plus en plus éméché.

Je suis l'un des derniers à quitter cet «éden». Le maire, ivre, se visse au bar; quelques filles à l'arrière-scène enlèvent discrètement leur masque, elles s'agitent derrière le rideau délavé qui conserve difficilement sa teinte d'origine : fuchsia. Elles deviennent vaporeuses et diaphanes, presque fantastiques. Je les vois se déplacer et je jalouse le velours terne léché par ces ombres si pures.

Oui ! ce sont des nymphes !

Cette nuit-là, et pendant beaucoup d'autres, je visionne comme jamais auparavant, ni depuis, mes rêves les plus sensuels, jouissifs, cochons !

Pourquoi se réveiller ?

Ah! ces petits intermèdes oniriques, éphémères, qui endorment les angoisses, les questionnements, les peurs! Voilà ma nuit passée à rêver. Pourquoi se réveiller? Il y a des jours qui ne devraient pas se lever, non? Et je me lève en même temps que l'une de ces journées; plus mêlé que la veille et que l'avant avant-veille. Ici, c'est l'endroit idéal pour végéter dans ses contradictions.

Je regarde le plafond, il veut m'écraser; je suis déjà effondré, ça changerait quoi? On ne frappe pas quelqu'un par terre!

Et elles s'additionnent, les journées; les semaines s'enchaînent pour se muer en mois; le temps est incalculable! Il n'y a que mes pas que je compte, quand je sors à la recherche... de l'inconnu, c'est-à-dire : de moi!

Je pars compter mes pas.

Partez avant qu'il soit trop tard !

Depuis mon arrivée, pas une seule fois je n'ai déjeuné à l'extérieur de ma remise. Je marche d'un pas alerte mais incertain – comme toujours je ne sais pas où je vais – et j'ai l'impression d'avoir arpenté de long en large, de haut en bas et plus d'une fois ce *Pays-Perdu*. Le premier restaurant, la première auberge, l'hôtel que je croiserai sur mon chemin, je décide que je vais m'y attabler ! Ce n'est pas bien long.

Quel endroit déplaisant !

Ce que je vois me donne le goût d'oublier ce que j'ai décidé à l'instant.

Je n'ai pas vraiment faim ? Ah ! tant pis ! Je serai encore renversé !

Déjà l'extérieur est plus que stupéfiant. Une allée bordée de vieux pneus peinturés, débordants de pensées, bégonias, géraniums, gaillardes qui, elles, surplombent le tout de leurs coloris, convie l'hypothétique gourmand. Du lierre serpente sur les semelles des pneus et cache à demi leurs rainures usées. En avançant sur ce trottoir inhospitalier, j'examine les différentes touches de décoration décadentes qui s'offrent à ma vue. J'envie les aveugles. Arrivé près d'une somptueuse galerie accueillante, enveloppante même, avec ses deux rampes qui viennent me chercher, m'emmailloter dans ses colonnettes aux ondulations de jeunes corps nubiles ronds et sensuels, je perds pied. La surprise est de taille. Quel gâchis ! Accrochés à des cordes, ici et là, de nombreux enjoliveurs de roues, semblables à des pendus, se balancent dans le vent léger ; ils s'entrechoquent de temps en temps et tintent, dans un cliquetis métallique de bienvenue.

J'en ai assez vu !

Je retourne sur mes pas quand une fille se montre sur la galerie, sortie de je ne sais où.

— C'est par ici !

Menue dans une robe trop grande, elle fixe le plancher, cherche quelque chose avec une moue de fillette craintive.

Je monte l'escalier, caresse au passage les gracieuses petites colonnes, et inspecte le sol pour aider la jeune fille à retrouver ce qu'elle a perdu. Ses souliers sont mal cirés, ils ont été bleus, maintenant ils sont gris. Soudain, elle happe mon bras, ouvre une large porte-moustiquaire blanche ornée de jolies moulures travaillées, et me fait entrer. Je comprends, elle ne cherche rien, elle est seulement terriblement timide.

— Elle est victorienne cette maison, n'est-ce pas?

La fille se fige interdite et, sans répondre, toujours cramponnée à mon bras, elle m'entraîne. Une première fois, nous nous immobilisons devant une table encombrée d'un dernier repas. Elle échappe un «non» interrogatif avant de me désigner une autre table. Celle-là est si bien nettoyée qu'il n'y a pas encore de nappe jetée sur son vernis noirci. Je suis poussé sur l'une des chaises et la jeune fille s'éloigne au fond de la grande salle à manger. Le bout de mes doigts pianote le bois sombre; j'essaie de déchiffrer les graffiti gravés. J'ai le temps de n'en retenir qu'un seul, car la fille déploie sur la table et mes bras une nappe à carreaux rouges et blancs. Sans voix, je répète ce que le linge recouvre : «Ici, tout est infect!» Je retire mes bras, et aussitôt devant mes yeux une feuille salie, pliée, apparaît, le menu.

— Non, non merci, j'ai pas faim! Je vais prendre un café noir, juste un café noir. Noir.

Désappointée, elle tourne si vivement sur ses talons qu'elle perd un court instant l'équilibre. Vexée, elle renfonce sa maladresse dans les souliers fautifs et redémarre. Je n'ai pas à attendre, déjà elle revient. Ses chaussures ne suivent pas le pas, mon café ballotte dangereusement. Je la rassure :

— Prenez votre temps. Je ne suis pas pressé.

Elle dépose la tasse quasi vide sur la nappe. Un cerne noir s'agrandit, la petite assiette n'étant pas assez grande pour gober le liquide. Je me demande s'il serait convenable de boire à même la soucoupe? La serveuse reste là, à côté de moi, et me paralyse. Je l'observe à la dérobée; elle est plus jeune que je le pensais. Ses yeux sont fatigués. Je bois avec une certaine nonchalance, je ne veux pas la mettre mal à l'aise ; elle scrute la tache qui s'étire, s'étire. Je suis gauche tout d'un coup, je tremble ; tasse et soucoupe s'entre-choquent. C'est le moment qu'elle choisit pour s'asseoir près de moi, tirant la chaise voisine par le dossier, et ses yeux, sa bouche cernés déclarent :

— Partez ! Vous êtes qu'un étranger ici ! Partez avant qu'il soit trop tard !

Le café tiède que j'essaie d'avaler m'étouffe et je me mets à tousser. Après s'être levée, la fille hésite, vacille sur ses jambes, enlève ses souliers et s'enfuit en courant, pieds nus vers la cuisine. Ils sont mignons ses petons, ils bon-dissent.

Je ne lui dis pas que c'est vrai que c'est infect, son café goûte le brûlé. Quand je sors, je tousse toujours.

Ses phrases, je me les répéterai souvent, et avec toutes les intonations :

« Partez ! Vous êtes qu'un étranger ici ! Partez avant qu'il soit trop tard ! »

Deuxième partie

Que la fête commence !

Je n'aime pas les fêtes, y'en a tellement !

Ce jour-là, soleil et villageois bien mis «surrayonnent»; ils célèbrent ma première année au *Pays-Perdu*.

À l'écart, je m'adosse au tronc d'un vieil orme, ma colonne vertébrale se presse contre les stries de son épaisse écorce; félin, je me gratte au rythme du roulis des épaules et je rêvasse.

Il y a quelques mois, le temps était venu de me grouiller et de partir d'ici. La demande de mutation remplie je la leur ai postée, et d'eux j'ai reçu l'insipide accusé de réception accompagné d'un mot si court, d'une logique si désespérante qu'il m'a découragé :

«bla-bla-bla... vous comprendrez cher Monsieur Petitclair qu'une place ailleurs doit se libérer pour vous recevoir et qu'un professeur doit accepter de venir enseigner là où vous êtes... Vos dévoués...»

Il me fallait un coup de main du Très-Haut !

Quand j'étais petit, l'Église et ma mère fraternisaient, elle était si dévote. Dans mon désespoir, je mets le Très-Haut à l'essai à mon tour; pendant des jours, des semaines, je ne suis qu'un tas d'espoir. Hélas, plus de nouvelles ! Tout comme maman un beau jour s'est lassée de se fier à *Lui* : «Faut s'affirmer ! Être soi !» qu'elle ressassait l'œil douteux, je ne crois plus !

J'ai écrit à Élise – unique grand amour que mes pensées traînassent et vénèrent –, jamais elle n'a répondu; écrit à la plupart des filles que j'ai baisées, sans réponse; écrit à mon ancien meilleur ami, néant !

Je suis épouvantablement seul !

Pauvre madame Lamothe ! Maintenant je conçois aisément qu'elle se soit suicidée. Ici, il est possible de s'exclamer au lever : «Tiens, je me suicide !» Dans une forme éblouissante, confiant, ces matins-là je m'étonne moi-même de ma ferme volonté d'achever mes jours. Malheureusement, au *Pays-Perdu*, aucun pont ni gratte-ciel, pas de métro ; rien pour m'aider ! Il y a leur train, mais son horaire est à ce point variable qu'à deux reprises j'ai poireauté de longues heures étendu sur la voie inconfortable avant de me résigner à reporter mon trépas.

Le « temps » se fiche bien de nous, il n'arrange rien, il passe !

La seule réalité au *Pays-Perdu* qui se compare au reste du monde, c'est le temps qui passe !

Par bonheur Amandine existe, ma seule amie. C'est parce qu'elle est là qu'y a pas eu de troisième essai.

Et Rose ? Rose ! Je me revois débarquer... Élise ! Maudite rupture ! Chaque fois que j'ai déménagé ailleurs, une femme m'y a poussé ! Voilà un an que je croupis ici, malgré les orages, tempêtes, ouragans, cyclones, tornades-Rose. J'en ai bavé à avoir les symptômes de la rage. Aujourd'hui... ça va, on ne se parle plus. Sauf quelquefois, quand je suis dans l'obligation de bafouiller un « Excuse-moi ! » si je la croise dans un endroit exigu ou si elle râle dans une embrasure de porte et que je veuille entrer. Elle a engraissé, Rose ; il lui serait impossible de pénétrer chez moi par l'huis de ma remise. Oui, elle est grosse, immense de malheurs.

Son maire se doute qu'il y a eu une intrigue entre elle et moi, mais il n'a pas encore eu le cran de vider son sac.

Ils saisissent mes mains, les enfants tout endimanchés du village ; ils chantent et m'éloignent de mes rêveries :

— Merci, monsieur Petitclair, merci ! Pour cette année, pour la prochaine et pour toujours ! Ils applaudissent et enchaînent avec : « Mon cher Maurice, c'est à ton tour... »

Quel calvaire, ils ajoutent plein de fausses notes !

Je sombre dans leur joie ennuyeuse.

J'aime bien les rejetons du *Pays-Perdu* à présent. Le grand de dix-neuf ans a quitté ma classe depuis peu, il a vingt ans. C'est Amandine qui a tout chambardé ; un jour, elle m'a amené à parler de la « grande ville », comme on chuchote ici, les prunelles effrayées. J'ai raconté et, après coup, pas une journée ne s'est terminée sans que j'en dévoile un peu plus; des goulues de questions plus imprévisibles les unes que les autres :

— Est-ce vrai, monsieur, qu'un garçon peut se faire violer à la « grande ville »?

C'est le grand qui crânait pour me désarçonner, ricanait dans sa barbe microscopique dans l'espoir d'un bafouillement de gêne. La réponse les avait interloqués. Au bout d'un interminable silence le crâneur avait bredouillé :

— C'est pour ça qu'on veut pas y aller!

Il n'avait plus ri. Tous étaient songeurs. Pour défaire cette tension, j'avais joué le vendeur de crème glacée juché sur son tricycle qui gueule à tue-tête « Crème glacée! Ice cream! ». Ils salivaient.

Oui! je les aime! L'amitié nous a liés de ses attaches.

Une pluie de samares envahit le ciel. Elles viennent ponctuer la fin de la « touchante » chanson et, mêlant leurs bruissements légers aux brefs applaudissements, voltigent dans le ciel bleu immense. Des gamins s'amusent à lancer des confettis au-dessus de nos têtes; j'en ai dans la bouche, les narines, je crache et m'ébouriffe les cheveux de mes deux mains.

Ça va finir par finir! Eh non! Il y a un long discours-de-maire précédé d'une remise de plaque commémorative étincelante de soleil sur laquelle se lit :

Merci! Merci! Merci! Monsieur Petitclair!

Je me mire dans la plaquette pendant que le maire continue de discourir; incrédule, l'air gouailleur, je répète à voix basse mes « Merci »! Merci pourquoi? Pour avoir baisé la mairesse? supporté vos monstres? Pour gratifier ma lâcheté de ne jamais oser dans la vie?

C'est la dernière!

Je me sais mollasse d'être toujours ici et mon sourire fout le camp. Tout de suite ces braves villageois croient que je suis ému et s'avancent débordants de réconfort; leurs bras, leurs mains, leurs corps m'effleurent, me touchent; ils m'entourent et m'entraînent dans un semblant de ballet, de danse moderne, de création collective spontanée. Quelle horreur, je déteste danser ! La vague humaine m'avale. Les enfants aussi se greffent à cette masse compacte, frémissante, qui vacille dangereusement. Je défaille.

La mairesse qui, par dépit, ne désire pas se coller à nos chairs joyeuses vocifère :

— Arrêtez, voyons ! Vous êtes ridicules !

Alors, la grappe humaine agglutinée, suante, desserre son étreinte et au ralenti, telle la marguerite qu'on effeuille, pétale par pétale, les gens étourdis, çà et là, se laissent tomber.

Le maire, soudé à moi, au bord de l'asphyxie, me fixe, l'œil comateux. Je le soutiens, écartant les derniers danseurs qui se déplacent avec peine car, eux aussi, manquent d'oxygène. À la recherche de notre équilibre, de notre raison, nous toussotons et rions de bon cœur.

Non, on ne s'ennuie pas !

Revenu à un teint normal, le maire déclare :

— Que la fête commence !

Et une fanfare attaque les premières mesures d'une partition ressemblant d'assez loin à la valse. Lui et la mairesse ouvrent un bal grotesque au milieu d'une foule qui raille. Je n'apprécie pas de voir leurs trémoussements, ils sont disgracieux. Quelle image à donner aux enfants qui imitent les moindres gestes de ce couple burlesque. Les deux risibles valseurs ne se rendent compte de rien ; elle, gueule, lui ne réagit pas, il médite. Bizarre d'endroit pour méditer ! Tous caricaturent le méditatif et la gueularde : enfants, adultes, chiens, chats, oiseaux...

Je ferme les yeux. Je suis ivre ?

Je n'ai pas pris une seule goutte d'alcool. Donc, je ne le suis pas ! Yeux mi-clos j'entends les chiens japper, les chats miauler, les oiseaux piailler.

La musique arythmique qui ne finit plus ballotte la chair de Rose, à droite, à gauche, et ne parvient pas à l'accrocher au tempo. C'est pitoyable. « Tu pourrais porter un corset, je t'ai connue si attirante dans ta détresse. » Elle dirige son maire et son corps d'une main de fer. C'est la Rose intransigeante, la Rose déterminée, la Rose apeurée. « Être », et surtout paraître normale! Je danse, donc je suis heureuse car je danse! Qui danse est heureux! Je suis belle, les personnes heureuses sont belles! Je suis une mairesse! Je suis... Je suis...

Et le chef d'orchestre, exténué, se rassoit enfin, après d'éprouvantes fausses notes, d'interminables accords rappelant une troupe de jeunes cancres poussés par des parents aux ambitions démesurées.

Rose rit. Pourquoi? Je ne comprends pas. Assis sur l'herbe foulée par les fêtards, je la regarde gesticuler. Elle frappe son homme avec ses poings, et lui ne bronche pas. Puis, soudain, des gens se groupent et forment un bouclier humain autour du maire grimaçant de douleur. Non, elle ne rit pas! Rose rage! Oh! que c'est laid une femme de cette corpulence qui se déchaîne. La défense pare quelques coups, pour vite se replier; Rose reste seule au centre de la place, victorieuse, à brandir ses bras dodus au rythme de ses menaces; plus personne ne sourit. Quelle belle fête! À bout de souffle et de fard, car elle a grandement déployé les couleurs de sa folie, livide, Rose s'écroule par terre et pleurniche. Un nuage de poussière grise flotte au-dessus de son corps charnu; j'en déduis qu'elle l'est, grise. Rapidement, les femmes agrippent au passage leur enfant, leur homme ou la laisse du chien et abandonnent la détraquée.

Y'a toujours quelqu'un pour gâcher le *party !* Enfin, elle est finie la fête.

Retournant chez moi je me demande ce qui a bien pu provoquer la crise de Rose. Je suis seul sur le sentier quand, d'un buisson, j'entends mon nom :

— Monsieur Fetitclair? Monsieur Fetitclair *fenez!* Le maire, fébrile, halète à la manière du bon toutou qui attend sa récompense.

Je suis la récompense. Dans les broussailles, je le rejoins. Sa main, qui tapote le sol, m'apprend qu'il veut que je m'assois à côté de lui.

— Pourquoi? Pourquoi avez-vous fait ça? qu'il balbutie accablé.

J'ai fait tant de choses dans ma vie!

— Fait quoi?

— Coucher avec Rose.

Sous le choc, je n'ai pas de répartie. Mon regard qui s'affole cherche une feuille à fixer. Le maire insiste :

— Pourquoi? Il y a des d'années, des années qu'elle et moi nous nous contentons de nos souvenirs, pour ce qui est de... «la chose».

Pour quelles raisons, spécialement aujourd'hui, Rose a-t-elle décidé de déballer son sac à malice? Je m'étonne, et lui me raconte en détail les désillusions de sa vie de couple. C'est si absurde, je l'arrête.

— Non! S'il vous plaît!

Son regard chien-doux me pénètre.

— C'est moi, moi qui lui ai suggéré de vous rencontrer au lendemain de votre arrivée.

J'ai un haussement d'épaules.

— Comment? Un jeune et beau garçon s'exile ici... Je ne suis pas sénile vous savez.

— Il y a de ça un an.

Là, il est très surpris.

— Ah?

Un long temps de réflexion brouille nos idées puis, ensemble, nous clamons un :

— Pourquoi?

Nous ne trouvons pas le pourquoi de l'hystérie tardive de Rose. Consterné, le maire parle le premier :

— Elle vous aime!

Je ne comprends pas ou, plutôt, je ne suis pas d'accord.

— C'est la jalousie, l'alcool, l'amour? On vous fête, on vous louange, et Rose a bu, bu. Nous dansons et elle remarque que tous, ici, semblent vous estimer. C'est rare que le village se montre moins méfiant à l'égard d'un étranger. C'est à ce moment-là qu'elle a divagué, lançant n'importe quoi; enfin, pas n'importe quoi, la vérité. Jamais on ne se dit la vérité, c'est notre entente. Toute vérité n'est pas bonne à dire!

Je crois réentendre mon père.

— Notre entente aux oubliettes, par amour... pour vous?

Elle vient de le briser, son homme. Sa Rose peut encore aimer.

Moi, je suis sûr qu'il se trompe, que ce n'est pas de l'amour ; c'est du cul pour du cul ! Je le sais, je m'y connais.

Il se lève et part, anéanti. À mon tour j'emprunte le sentier ; devant, le maire s'éloigne tête basse, il disparaît dans l'exubérance de la verdure.

Heureusement qu'elle est là !

Depuis mon débarquement au *Pays-Perdu*, c'est la seconde fois qu'ils sont si nombreux à l'extérieur de leur maison. Le maire a un pouvoir pour réussir ce tour de force ! Ce n'est quand même pas pour moi que les gens sont sortis de leurs *trous* ? qu'ils se sont amusés ? qu'ils ont fêté l'*étranger* ?

Sur le chemin du lent retour, je croise des petites familles : père, mère, enfants ou chiens ; elles sont unies les unes aux autres par les mains et, parfois, elles me saluent. Au début, je regarde par-dessus mon épaule pour être certain que ces saluts timides s'adressent à ma personne avant d'y répondre. À ma grande surprise, ces mains libérées pour : bonjour ! ces rebords de chapeaux touchés de l'index, ces grimaces d'enfants, ces jappements de chiens s'adressent à moi. Je salue tout le monde, souriant plus facilement aux gamins et aux chiens.

À travers le feuillage, ma remise se dégage au fur et à mesure que je gagne du terrain pour y arriver. L'immense pin fier la camoufle en partie ; je la devine tapie derrière, ma joueuse de cache-cache. Puis, elle reparaît, ma remise, et j'imagine l'entendre rire aux éclats – une enfant animée qui mouille sa culotte d'excitation.

Mes pas ne s'arrêtent pas et la dépassent rapidement.

J'ai besoin d'exercice, de plus d'air, et j'accélère la cadence. Mon corps apprécie ma décision impulsive. D'abord, mes muscles s'échauffent, ma foulée devient plus souple ; ensuite, mon souffle croît, remplit mon ventre et gonfle mes poumons ; je passe de la marche accélérée au jogging.

Quel bien-être !

Des gouttelettes de sueur roulent sur mon front, se fraient un chemin dans mes sourcils et me brûlent les yeux. Je les essuie. Mon corps fend l'air torride accumulé aux endroits où le soleil chauffe ; puis, au lointain, m'attirent d'épais feuillages où l'air vivifiant, bienfaisant, se terre. Je plonge dans cette fraîcheur insouciante qui me fouette le sang ; de ma vision périphérique je vois les arbres s'évanouir, les gravillons de toutes formes défiler sous mes pieds, des feuilles s'estomper au-dessus de ma tête ; je suis ivre, tout mon être est enivré.

Mes jambes crient : Pitié ! Grâce ! Plié en deux, le coeur dans la bouche, les tempes bourdonnantes, je sue à grosses gouttes et souffle.

— Pourquoi t'es essoufflé ?

C'est Amandine. Je réponds par saccades, hors d'haleine.

— Je... cou... rais.

— On fait la course ?

— Non ! Non ! Je ne peux plus courir.

— Peureux !

— Oui, c'est ça, je suis peureux !

J'avance, Amandine me suit.

— T'as aimé ta fête ?

Est-ce que je réponds : «Moi, je hais ce qui ressemble à une fête !»? Je lui retourne sa question.

— Toi ?

— Oh ! oui ! J'aime les fêtes depuis que j'suis haute de même.

De sa main droite elle montre au centimètre près la taille qu'elle avait quand elle s'est découverte amoureuse de ces futilités. Après un calcul mental rapide, je conclus que dès sa naissance elle les a aimées. Je l'observe. Amandine s'incline, sa main ouverte plane à la hauteur de ses genoux, sa tête se hausse vers moi et son petit cul regarde de l'autre côté.

— T'exagères pas un peu ?

— Tu peux pas comprendre.

Elle se redresse, encore émoustillée par la fête donnée en mon honneur. C'est la candeur de son jeune âge qui lui fait aimer ces insignifiantes effervescences! Intéressée, elle lance :

— Où tu vas?

— Je ne sais pas, et toi?

— On sait toujours où on va!

Outrée, Amandine plante ses poings sur ses hanches et attend une réponse plus sensée de ma part.

— J'ai pas le goût de rentrer.

— Oui, mais tu sais où tu vas!

— Non, pas la moindre idée. Tu le sais toi?

— Oui, moi je te suis!

Je ris.

— Suis-moi! On va le savoir où je vais.

Elle est outrée, je la prends pour une *nounoune*! Sans dire un mot, je m'étends au pied d'un arbre. Amandine, s'assoit, fâchée. Je lui offre un de mes plus beaux sourires, elle se détourne l'air boudeur. Pendant une petite fraction de seconde qui file follement vite, je l'ai vue femme. Elle est mignonne! Une fillette dont chaque pore de la peau respire la grâce juvénile.

— Tu es belle!

Ses mains gonflent ses cheveux qu'elle enroule au bout de ses doigts et, les yeux levés au ciel, elle dodeline de la tête. Je suis fasciné. Affriolante, Amandine l'est, le sait-elle? Nous rions.

— Où tu vas? qu'elle redemande.

— Tu as la tête dure. Je suis bien. Tu comprends?

Elle se contente de ma réponse. Je suis si heureux avec Amandine. Quel dommage, elle n'a que...

— Quel âge as-tu Amandine?

— Neuf ans!

Elle se tient prête à répondre à ce que je veux.

— Ah! c'est vrai! Neuf ans!

Mon regard se promène dans la verdure... Encerclé du vert feuillage, un peu de bleu du ciel apparaît où quelques feuilles sont parties faire l'école buissonnière; un agréable

souvenir remonte à ma mémoire : notre première rencontre... Amandine se penche au-dessus de moi et m'envoûte. Je l'aime. Heureusement qu'elle est là ! Bientôt la fin
des classes.

Les vacances

Ah ! les vacances ! Drôle de temps ! La plupart des enfants
savent qu'ils ne seront plus obligés de se lever tôt, d'apprendre certaines matières qu'ils détestent et, par-dessus
tout, ils racontent qu'ils seront libres enfin de s'amuser !

On ne m'a jamais appris à aimer les vacances. À leur
âge, je vivais «les vacances» en conflit avec mes parents.
Dès les premiers jours, j'élaborais des plans, mes sorties
pleines de mauvais coups, de rires ; mes joies à venir avec
un ou deux complices. Mais la platitude des balades fami-
liales obligatoires est venue à bout de l'amitié si changeante
à l'âge de l'enfance. Mes étés, je les ai passés seul, à regarder
par les fenêtres : fenêtres de la voiture, fenêtres de ma
chambre, fenêtres d'un salon chez des connaissances de mes
parents, fenêtres d'une salle à manger au bord de la mer –
où les goélands prenaient l'air de vacanciers –, fenêtres du
bureau de mon père, fenêtres de la chambre de ma mère qui
cousait une robe si attrayante pour un prochain, un
incroyable, un mémorable voyage ; sans oublier les fois où
elle pleurait avachie des journées entières sur son lit, et moi
qui broyais du noir, yeux fermés, devant une fenêtre
ouverte.

Il n'y a eu qu'un merveilleux été où j'ai abandonné mes
fenêtres pour plonger dans un univers intime et terrorisant :
l'univers de mes onze ans. Merci à l'amie alcoolique de la
famille qui m'a permis de vivre cet été-là : mes mains cares-
saient ses seins ; mes yeux s'écarquillaient, intrigués par son
pubis blond ; mes lèvres se crispaient quand, par petits
coups, s'infiltrait sa langue qui puait l'alcool ; mon corps,
ma tête, troublés et déconcertés par ces attouchements si
insolites pour un garçon prépubère.

Aujourd'hui, lorsque mon regard s'attarde à une fenêtre, un souvenir revit : c'est Elle ! Je chéris ce souvenir ! Sinon, mon enfance est une ombre.

Les enfants sont en vacances ; moi, je ne sais pas l'être. Je regarde par la fenêtre. Il y a un peu plus de vie sur le sentier juste devant ma porte, mais si peu. Je gratte une petite tache sur la vitre, une de ces taches que j'ai très envie de gratter pour qu'enfin elle disparaisse à jamais. Rien à faire, elle est et sera là demain. L'image de «l'amie de la famille» n'en est pas une de tache, même si cette femme m'a marqué beaucoup plus que je le croyais. Dieu merci ! Oui, grâce à Dieu, ma vie débilitante a été transformée. Je m'imagine mal l'amputer de ma mémoire. C'est elle qui m'a amené à la découverte de la Femme, de ses seins, de son pubis, de ses lèvres et, surtout, à cet émerveillement qui m'habite quand j'en croise une ; je suis fasciné par le regard féminin. Paupières fermées, je rejoins la femme de mes onze ans et ma vie s'irise. Ses yeux étaient pleins d'espoirs déçus, d'angoisse, de peurs ; à onze ans, comment savoir que tout ce qu'elle était me marquerait pour la vie ? Moi qui, encore dans mes rêveries, frissonne sous ses mains.

Aujourd'hui mon regard est semblable au sien ; il cherche, s'embrouille de ne pas trouver. Et j'ai peur ! Pour me détacher de mes peurs je ne prends pas d'alcool ! Ni de drogue ! Mais autre chose qui enivre autant : le cul ! Un cul peut être grisant. Mon père citerait : «Qui se ressemble s'assemble !» Il aurait raison. S'il vivait, papa, je lui dirais :

«Papa j'm'aime si peu que je baiserais une fille pour me donner l'illusion d'être !»

Souvent quand on caresse l'autre, c'est nous qu'on caresse.

L'esprit «ballonné», j'ai la sensation d'avoir mangé à outrance un de mes mets favoris, du bœuf *Wellington*. «Oui, j'ai ingurgité à moi seul tout un bœuf *Wellington* !» Je ne digère plus le trop-plein de pensées que brinquebale ma cervelle.

Je sors avec ma tête obèse.

Déjà je sais...

Au *Pays-Perdu*, tout nous ramène à ce qu'on est, à ce qu'on n'est pas, à ce qu'on voudrait être, à ce qu'on deviendra.

Jeune enfant, j'ignorais ce qui était normal ou anormal de la vie que je vivais ; la seule chose que je savais, c'est que par moments elle se fait belle la vie. Une roche ramassée et cachée au fond de ma poche, et je passais d'inoubliables heures à la palper ; un oiseau gazouillait haut perché, je sifflais sa mélodie ; de mon lit la nuit, je jasais avec les étoiles ; qu'importe où j'étais, quelque chose me plaisait. Puis, ça s'est gâté ; roches, oiseaux, étoiles ont cessé de m'attirer, et la tristesse des fenêtres m'est apparue. Je n'étais plus à l'âge des pierres, mais à l'âge des filles ; elles me terrorisaient. Alors, j'ai régressé.

Ici, les gens ne parlent pas, ils ruminent. Dans chaque regard que j'ai surpris au hasard de mes marches quotidiennes, j'ai deviné des peurs, des questionnements et parfois de rares instants de bien-être.

Y'a pas si longtemps, je me rappelle m'être figé sur place au cours d'une randonnée où je me sentais triste et dépassé par les événements qui se succédaient, indépendants de ma volonté. Un jeune homme que je n'avais jamais vu m'avait salué. Pourquoi ? Les villageois s'isolent toujours dans leur méfiance. J'ai conclu : c'est un touriste admiratif de ce coin de *Pays-Perdu* !

Une semaine avait passé et le manège du jeune homme s'était répété ; je sortais sans envie, pour vérifier s'il était ici pour moi. Pareil aux habitants du village, j'étais méfiant. Un matin, je l'avais arrêté. Son sourire provocant sur ses lèvres, je l'avais dévisagé. Sur le coup, j'avais ressenti une sorte de gêne incontrôlable ; ensemble, à la façon de vieux amis qui se devinent du regard, nous nous étions assis dans l'herbe. Ma tête divaguait, me mitraillait de réflexions, telle une pétarade de feux d'artifice, « c'est un proxénète, un malade, un simple d'esprit, c'est un anthropologue... ».

— On ne se connaît pas.

Ça ne m'apprenait pas qui il était, lui, avec sa gueule de quelqu'un qui a une nouvelle à annoncer.

Je m'amusais : « Tu ne le connais pas. De quelle façon sa nouvelle, bonne ou mauvaise, peut-elle te déranger ? » Je riais intérieurement, me fichais de lui et de sa nouvelle.

— J'ignorais ce... coin du pays.

Il prenait son temps l'animal ! Je m'étais levé pour partir, j'avais eu l'impression de perdre mon temps. « Qu'il soit n'importe qui, il ne m'intéresse plus ! » C'est alors qu'il avait agrippé mon bras. Je chancelais, mais sa main me tenait en équilibre. « M'aime-t-il à ce point-là ? Je ne suis pas un... »

Il avait poursuivi avec la même lenteur :

— Je ne tiens pas vraiment... à enseigner ici. Je ne suis pas désespéré, vous savez.

Il m'avait lâché, j'étais tombé ; j'avais compris. C'était une mauvaise nouvelle. J'étais un idiot. Ce n'était pas un simple d'esprit, lui.

Nous avions parlé d'autre chose. Lui pas beaucoup, moi oui. Je commençais hypocritement à vanter les attraits du *Pays-Perdu* : ses habitants affables, son maire sympathique, son fleuve accessible, ma tanière attachante, d'Amandi...

Sur le point de m'emporter dans mon énumération et de l'appâter avec Zozoteuse, je n'ai pas pu. J'aurais trahi la seule chose à laquelle je tenais, l'amitié d'Amandine. Elle ne fait pas partie du contrat, c'est à lui de la mériter ! Le reste, oui, mais pas elle !

J'étais devenu angoissé : est-ce que je suis assez fort pour la quitter ? Quitter Amandine ? Je me faisais accroire : tu reviendras la revoir ! Promesses vite oubliées ! Lorsqu'on s'arrache à quelqu'un qu'on aime, on ne sait pas quoi dire, on balbutie « Je reviendrai... un jour... » et on oublie. Au début, on veut, on pense revenir, quand la douleur est si présente, trop difficile à supporter ; mais la vie nous en empêche. Elle nous attrape par la main, la vie, puis par le bras, et ne nous entraîne jamais où le cœur désire être. C'est son jeu. Ce qu'exige la vie, c'est vivre pleinement. C'est ainsi que se créent les souvenirs. Amandine, un souvenir ? Il faudra, un jour ! Pas aujourd'hui, je n'ai pas la force, ni le courage.

Je lui ai raconté le *Pays-Perdu*.

— C'est un village de fous. Le maire a une mairesse...
Méfiez-vous d'elle! Méfiez-vous aussi des conseillers
municipaux, des habitants. Il y a aussi le chien-veau, lui,
c'est effroyable; il apparaît et vous saute dessus. C'est un
chien, enfin un veau, énorme et bête, si bête, vous ne
pouvez pas imaginer. Ah! les enfants! Au début vous
devrez gagner leur confiance, après ça va, vous verrez, les
chats, les chiens aussi, à part le veau bien entendu; mais
vous serez seul, si seul!

Il m'a regardé abasourdi, je me suis sauvé, je ne l'ai
jamais revu.

Souvent je me blâme : «Tu es peut-être allé trop loin?
Rester ici pour Amandine!»

« Pour vous changer les idées ! »

L'été file avec les jours de vacances et je me suis claquemuré
dans ma remise. «Partez pour la ville... un conseil du
maire... changez-vous les idées!»

La ville, la «grande»! L'angoisse m'assaille à ma descente du train; elle me paralyse. J'observe, renifle la
«grande ville» tapageuse dans le soleil pesant de l'après-
midi. Elle pue! Il y a plus d'un an que j'ai piétiné son
bitume et je suis effrayé. Posant ma valise sur le sol de mes
anciennes amours, j'éprouve un trac terrible. «Qui vais-je
revoir?» Il faut que je bouge. Je marche, traverse des rues,
enjambe les détritus largués le long d'une ruelle, dévale un
trottoir abrupt, zigzague la montée et, à bout de souffle,
enfin j'ai réussi à égarer mes peurs. Vraiment excellent la
marche! Ragaillardi, j'aboutis au logement de mon ancien
meilleur ami, Michel, même si j'ai, dans le temps, couché
avec sa... – de toute façon, où irais-je ?

— T'as pas changé!

C'est ce que je marmonne bêtement.

Michel répond «Bien sûr que oui, et toi aussi!». Pourquoi se chicaner après si longtemps? Il a raison! Et je

patiente sur le palier pour qu'il me fasse entrer. Il le fait et ajoute qu'il s'absentera bientôt – pourtant, il paresse dans ses sous-vêtements à trois heures de l'après-midi.

Assis sur le divan où il n'y a pas si longtemps je «sautais» mes conquêtes, de mes deux mains je caresse les formes arrondies des coussins. Plein d'images émoustillantes, toujours chaudes, retrouvent le chemin de ma mémoire, tandis que nous bavardons de choses insignifiantes; il faut refaire connaissance, replacer dans le temps nos souvenirs contradictoires. Je m'excuse d'avoir agi comme je l'ai fait; Michel joue l'amnésique. Mon œil! Si quelqu'un couchait avec celle que j'aime, je ne l'oublierais jamais. Feignant l'indifférence, il vient s'asseoir à côté de moi; il accepte mes excuses!

Animé d'un faux enthousiasme, mon ancien ami relate quelques «faits d'armes» amoureux dignes de mention – seules joies dans sa vie. Pas très passionnant! Puis c'est à mon tour. Je l'émerveille, il m'oblige à répéter dans le détail les passages concernant la mairesse; il m'envie. Ça me fait le plus grand bien; c'est important d'être envié, quelles qu'en soient les raisons. Maintenant, j'ai des réserves de «C'est pas vrai? Chanceux! T'aurais dû m'écrire! Pourquoi toi?». Je lui ai écrit, pas sur elle... mais je lui ai écrit. Michel jure qu'il n'a jamais reçu ma lettre, que les Postes ne sont pas efficaces; je ne le crois pas. Je parle, parle, et mon ancien meilleur ami revient sans cesse à Rose; il dit qu'il aimerait vivre une baise si fantastique, il est tout excité, trop excité. Il n'a pas changé.

Son bras replié autour de mon cou, il m'invite à demeurer chez lui. Je ne sais plus si je suis content. De nouveau j'ai un *meilleur ami* – ça me rassure – et je crois que je ne suis pas prêt à me séparer d'une partie de mon passé.

Il le rabâche ce passé. «Tu te souviens : S..., M..., R... et elle? et celles-là?» À chaque bouchée du délicieux poulet à l'estragon que je savoure, Michel devient à tel point nostalgique de ces maudits hiers à baiser jour et nuit tout-ce-qui-bouge-et-qui-a-une-fente qu'il me coupe l'appétit. Je n'ai plus faim. C'est un excellent cuisinier, mais il monologue beaucoup trop.

De ses souvenirs que je ne veux plus pour miens, il m'emmène tard dans la soirée qui s'alourdit, chaude et humide. Je me sens pareil à elle. Dehors, le béton et l'asphalte libèrent leur chaleur accumulée de la journée, c'est intenable. Je transpire et Michel jacasse, émoustillé. Il me rappelle Rose qui, racontant ma période de perte de conscience, avait joui d'orgasmes à répétition. Je ne l'écoute plus.

Mes pensées vagabondent. «Que se passe-il là-bas? Amandine. Qui Chien-veau a-t-il humilié? Et Rose? Jolie...»

Des éclats de rire me ramènent à la réalité. Michel est emballé, il prend mon bras:

— Viens, ça va être la fête!

Qu'est-ce que j'ai manqué? La fête? À qui? Pas la mienne, ce n'est pas la bonne date! Il insiste:

— Viens, on va les rejoindre.

— Qui?

— Nos anciennes «blondes»! Il s'excite.

— Jamais de la vie, voyons!

— Pourquoi? T'es pas ici pour ça?

Il ne comprend vraiment rien! Ah! c'est bien que des copains se raccrochent au passé après une longue séparation, mais de là à le revivre...

— Écoute Michel, je dois partir!

— Comment?

J'invente un rendez-vous, quelqu'un du *Pays-Perdu* m'attend dans une heure.

Idiot et viril

Je suis épuisé. Impuissant à mettre de l'ordre dans mon esprit confus, je marche. Habitude que j'aime. Les différentes rues font resurgir des souvenirs encore frais et pourtant lointains. C'est alors que je me retrouve à une croisée de rues où, la nuit venue, tout est réalisable. Plus jeune, à l'âge de «jeune loup», je suis accouru ici me prouver que j'étais un homme. Il ne m'est rien arrivé, mais je suis quand même devenu un mâle idiot et viril. Les gènes, sans doute! Michel dont je viens juste de me débarrasser l'est aussi, idiot et viril.

Je suis au beau milieu d'une ville et je me sens seul. Mes pas s'arrêtent. De belles jeunes femmes monnayent leurs formes aguichantes. Les négociations semblent difficiles : ils sont radins, les chercheurs de chair fraîche. Sans les voir je devine, enfouis dans leurs voitures, les conducteurs ventrus ou boutonneux, la barbe piquante, la gueule puante d'alcool, qui, par la vitre à moitié baissée, débattent du prix. Il faut sa dose de courage pour se résoudre à venir là pour quelques attouchements. Camouflés dans la nuit, de vrais mercenaires-caméléons, les clients ont *la chienne* d'être découverts. Cette hantise les amène à aller d'une prostituée à une autre, avant de tomber sur une qui, sans le sou, coupe ses prix. Il faut bien vivre!

La fille se glisse dans la voiture, gobée par une portière «avaleuse de filles», et ils disparaissent; lui affolé, elle résignée.

Bon! Assez de cette vie projetée devant moi – un film de mœurs de troisième ordre! Je pars quand, tout à coup, je reconnais le grand de ma classe, celui de vingt ans, sur le trottoir de l'autre côté. Pourquoi est-il là? Ça ne peut pas être lui, voyons! Oui! c'est lui, avec une allure faussement décontractée. Quel héroïsme! Affronter en solitaire la «grande ville», il mériterait un «A+» pour son courage. Son regard de mendiant me fait sourire. Est-ce que j'avais l'air aussi niais lorsque je suis venu ici, pour les même raisons? Il prend la pose du chasseur qui cherche une piste fraîche. Redresse-toi, le béton ne garde pas de piste! Il perçoit ce que je n'ai pas crié, car il se redresse et, aussitôt, une jeune blasée l'accoste. Elle parle, lui pas. Il jauge timidement ses seins, ses jambes... Les lèvres rouges de la fille babillent, ses regards fugaces quêtent un client et, désabusée, pareille à une automate elle sourit à ceux qui passent. Un homme qui ne désire pas dialoguer la lève. Le grand reste là, perdu, fasciné par le trottoir. Je traverse pour l'aborder inno-cemment.

— Salut!

Il veut fuir, j'agrippe son bras; il se voile le visage de sa veste de toile bleue. Pour le rassurer, je lui raconte que moi aussi, dans le temps, je suis venu au même endroit.

— Pourquoi vous êtes encore ici?

Il me provoque; même embarrassé, il a l'audace de me poser *la* question. Je me sens mal à l'aise.

— Moi...?

Je suis incapable de répondre.

Pour une fois, il vient de me surprendre. Nous rions, un bras accroché à l'épaule de l'autre, comme deux gays bienheureux.

« C'est de votre faute! » qu'il m'avoue, pendant que nous déambulons sur l'avenue bondée de monde. Il m'explique que mes histoires sur la « grande ville » l'ont intrigué. Penaud, il me reluque d'un œil qui sonde si je suis assez brillant pour piger la suite : les filles, le cul, la vie...

— Puis maintenant tu retournes chez toi?

Il hésite avant de mentir.

— Oui, c'est ça...

Une de ses espadrilles heurte une boule de papier qui traîne abandonnée, semblable à nous. Il lâche mon épaule et, l'air désinvolte, les mains dans les poches, il rit, virevolte, comme un joueur de soccer qui approche du but adverse. Je suis de trop, mais je n'ai pas envie de partir. Il me le rit que je suis de trop, qu'il doit vivre ce qu'il a à vivre.

Moi aussi, je voulais crier au monde entier que j'étais un homme. J'allais réussir, mais j'ai pris peur. Un jeune crétin que j'étais, m'enfuyant. Je me souviens des noms obscènes que je criais aux jeunes femmes belles.

Je m'informe :

— T'as de l'argent?

Le grand m'interroge de l'œil.

— Pour les filles, il faut... (à voir sa réaction, je pense : ça y est, il comprend!) ...de l'argent. C'est pas des bénévoles.

— Je sais! J'sais ça, voyons!

Il ment.

— C'est sûr, j'ai de l'argent. J'suis pas idiot !

Il l'est. Un bel idiot perdu dans ses vingt ans. Il fait plusieurs pas ; je le suis. Est-ce que je lui prête de l'argent ? Non ! j'aimerais mieux qu'il vive « L'amour » avec quelqu'un de son coin de pays, pas avec ces marchandes de sexe. Ah ! pour être parfaites, elles le sont ! Tout est fonction d'une négociation rapide. Elles parent, colorent, embellissent leur corps qu'elles moulent dans des robes provocantes, à demi dénudées, qui aiguillonnent le « chasseur ». J'imagine le bel idiot pétrifié qui ne sait que faire – des secondes importantes pour ces filles-là. Comment aspirer à l'initiale tendresse de l'une de ces belles qui se déshabillent, taisant leur désespoir ?

Nous nous éloignons lentement, mes questionnements aussi. Tant mieux ! Après que nous avons déambulé à travers de nombreuses rues qui s'entrecroisent, il risque timidement une question :

— Et si elle le faisait pour rien ?

J'ai envie de rire. Est-ce que je lui ôte ses illusions ?

— Hein ? On y va ? Il fixe le sol. On y va ?

Je ne veux pas jouer à l'adulte qui a tout vu !

Il se tourne vers moi, je dois répondre.

— On sait jamais !

Il me surprend encore :

— Ouais ! On retourne essayer !

Chemin faisant il ajoute, surexcité, qu'il peut s'arranger seul, qu'il n'a besoin de personne, mais apprécie que je sois là. Je m'éclipse et le guette, coincé entre deux portes d'une petite pharmacie insomniaque. Pour ne rien manquer, j'étire le cou. Des gens entrent, ressortent, ils ne cachent même pas ce qu'ils viennent d'acheter : des condoms.

— Des condoms !

J'ai complètement oublié de le prévenir. Est-ce qu'il y a pensé ? Là-bas, au coin de la rue, ni lui ni elle ne voient mes signes. Je m'inquiète ; la belle noue son bras au bras du bel idiot, elle pose sa tête rieuse sur l'épaule offerte et balance une longue jambe ; lui, mains dans les poches, sourit. Ils sont beaux ! Pourquoi rient-ils ? C'est pas important, les gens heureux ne se font pas d'histoire, c'est pour ça qu'ils sont rieurs, pour rien. L'idiot est joyeux, radieux de cet instant qui se gravera dans sa mémoire. Moi, par contre, les condoms me tracassent un peu. Après tant d'excitation ils vont aboutir dans un lit, c'est certain! J'achète des préservatifs. Quand je ressors de la pharmacie, mon grand, fier de lui, avance, nonchalant, dans ma direction. J'enfouis les condoms dans une poche.

— Pourquoi tu souris?

— Comme ça.

Heureux les creux! que je me dis. Il rigole :

— Elle aime les jeunes, mais il faut des sous.

— Pourquoi tu ris?

— Parce que c'est facile, si j'avais eu de l'argent, ça aurait marché!

Il tape des mains d'emballement; pour lui, c'est suffisant. Il est un homme! Rassuré, il sait qu'il en est capable. Toutes mes peurs pour rien! Va-t-il revenir? Sûrement, mais cette fois, je ne serai pas là.

Il lâche un :

— Merci d'avoir été là, pas loin!

Je l'aime avec ses allures «d'homme». C'est une belle rencontre loin du *Pays-Perdu*.

La «fin de nuit», je l'achève assis sur le banc d'un parc où deux, trois itinérants ronfleurs cuvent leur excédent de désespoir. Mon grand est parti chez une de ses tantes. Au matin tôt, je me retrouve dans le logement de Michel. Enragé, car j'ai dû le réveiller, il m'accuse d'avoir saboté sa soirée. «Je t'attendais pour sortir!» Je ne me souviens pas qu'on devait sortir ensemble? Je capture ma valise pour me rendre à la gare; mais avant, je m'égare dans de longs détours.

Un bain de regrets, une visite au cimetière de mes ruptures.

Je respire l'air de la rue où Élise habite, habitait? Ma dernière fuite! J'épie les fenêtres de sa chambre voilées de rideaux. Si souvent, je me cachais derrière les rideaux. Est-elle endormie? Vers la fin de notre liaison, voilà la seule chose que nous aimions, dormir ensemble ; sentir mon sexe se gonfler contre ses fesses chaudes. Mirages lénifiants. Est-elle seule ? Rêve-t-elle ? Elle rêvait toutes les nuits. Quelques jours avant notre rupture, elle racontait, hagarde, un cauchemar invraisemblable qu'elle avait fait. Je ne voulais pas de progéniture, elle, oui ! Dans son rêve, entêtée elle enfantait et, dans mon obstination, je jetais son enfant-chimère à la poubelle. Notre couple a pris le même bord peu après. Notre couple enfantin.

Je me précipite vers la gare. Ici et là : une maison blanche et sa porte bleu-vert ; un parc et ses tilleuls ; un café et ses chaises de métal rose... ces lieux portent des prénoms de femmes et je n'ai pas su en garder une seule.

Vite au *Pays-Perdu ! Home sweet home !*

La paix ?

Incroyable ! Dès qu'on s'habitue à un trajet il finit toujours par nous paraître plus court. Assiégé des mêmes relents de cigare-parfum-bétail, je bats un record de vitesse entre la ville et mon coin. Il fait beau, il est tôt. Je saute du train arrêté et un calme agréable m'enveloppe. Une sorte de paix ? Je l'ignore. Du dedans de moi s'élève une indomptable lassitude. Le voyage ? Non ! Encore ici ! Pour combien de temps ! Cloué sur le quai, je reste gourd, tandis que le train à petits coups de chuintement s'éloigne vers sa plate routine. Je suis de nouveau entraîné dans la mienne.

Je marche et ce que je perçois – les sentiers, la verdure, les chants des oiseaux – me laisse indifférent.

Combien de temps vais-je croupir ici ?

Les bruits du jour s'installent peu à peu ; il y a les ricanements agaçants des cailloux sous mes pas ; l'animation qui s'échappe des maisonnettes tapageuses par les fenêtres ouvertes : l'entrechoquement de la vaisselle, les cris d'enfants ; les abois répétitifs des chiens qui font la conversation ; la cloche de l'église qui gueule, assommante comme un sermon ; et ma remise illumine dans le soleil rayonnant.

Qu'il devient exaspérant, lui, quand on est éteint! Ce n'était pas la paix qui m'enveloppait à la gare, c'étaient mes doutes. Mon retour. Ma vie. J'envie le bel idiot. Il a vingt ans! À cet âge, on a tellement de temps qu'on ne sait pas qu'on a.

Lorsque ma mère sombrait dans ses mélancolies, elle prenait un bain. Alors, j'en prends un. La vapeur chaude s'effiloche, tournoie au-dessus de mon corps submergé. Mes jambes maigres pendent à l'extérieur de la baignoire.

Maman. J'ai si souvent assisté à ses ablutions; pour tromper sa tristesse, elle jetait dans l'eau de l'huile moussante qui formait une couverture de mousse scintillante, pleine de chatoiements insaisissables. Au bout d'un moment seule sa tête soucieuse ballottait parmi la mousse; elle riait, oubliait ses inquiétudes; je riais emmêlé dans mon désarroi d'enfant.

L'eau tiédit et, sottement, elle me dit que l'existence peut, elle aussi, être tiède. Une fois couché dans mon lit, je cache ma tête sous l'oreiller pour ne plus entendre le gazouillis des oiseaux qui s'amusent de la vie; je désespère à mourir. Je m'endors.

La déroute

Je m'éveille. Je ne vais pas bien! c'est mon diagnostic au lever. Pourtant, je pensais bien être content de revenir ici? Oui, seulement mon malaise est plus grave que mon supposé bien-être à la descente du train; sinon, tout le monde y monterait pour pouvoir en descendre. Sans doute, je suis content d'être revenu, mais un pas posé devant un autre pas n'est pas pour autant apprivoisé!

Qu'ils sont déroutants mes questionnements intérieurs! Je ressens une quiétude extrême, bienfaisante, si palpable que je me persuade qu'elle est là pour toujours, puis quelques instants plus tard le désordre réapparaît, terrifiant, qui balaie ma paix; le doute de l'avoir véritablement éprouvée se faufile, sournois, hypocrite, il s'approprie sa place et grandit, tel un trouble profond que rien ni personne ne pourrait chasser.

Je ferais l'amour avec n'importe qui pour m'oublier !

Les ruptures

Je repense à Élise, ma dernière rupture, et mon regard erre, s'attarde sur la fenêtre de la salle à manger. Ces prénoms de femmes qui m'ont fait ce que je suis, je les imagine gribouillés sur la vitre. C'est si compliqué entre femmes et hommes. De ce temps-là, j'imiterais ma mère, je déraillerais dans des bains ; je vivrais dans la baignoire !

La plupart des souvenirs que nous, les hommes, entretenons de nos déboires amoureux – de nos « amours anciennes » –, nous ramènent fatalement au début de nos amours.

Élise ! Quelles ivresses j'ai vécues avec elle ! Me languir d'elle après quelques secondes de séparation. Caché derrière les rideaux, je me dévêtais à la hâte et – elle était sur le point d'être là – j'élaborais ses peurs, ses rires à venir. Enfin, la porte s'ouvrait, Élise approchait de la fenêtre et, nu comme un ver, frissonnant de désir je bondissais sur son corps, tel un guépard domestiqué. Ce corps splendide, je le redécouvrais. Plaisirs inoubliables ! Plaisirs fragiles !

Insaisissables sont les femmes ! J'aurais pu me satisfaire des vies durant de nos folies amoureuses. Pourquoi un matin à son réveil Élise n'a plus été la même ? Pourquoi choisir ce matin-là ? Pourquoi vouloir un enfant ?

Aujourd'hui, je ne sais plus : ce maudit *Pays-Perdu*, Amandine, Rose, Jolie... Tout, ici, chambarde ma vie. Je suis ridicule de déménager chaque fois que je romps.

J'aurais vraiment dû être commis voyageur.

Une simple banane

Quelle heure est-il ? Un soleil indiscret qui s'est planté en face de la fenêtre sud-ouest me réchauffe, moi avec mes emmerdements. Ses rayons éclatent de « Je suis là ! »

Qu'est-ce que ça fait qu'il pleuve, ça ne me dérange pas!

Je prends la banane mûre qui traîne sur le comptoir pour aller la manger dehors. Sans appétit, je mords dedans. J'avale deux bouchées, puis je jette la pelure dans le buisson.

— On ne jette pas une pelure de banane dans la nature...

Qui est-ce? Je me retourne. Squelette, d'un os phalangien, pointe le taillis.

— ... ça attire les mouffettes!

Tout souriant il s'enquiert :

— Vous avez fait bon voyage?

— Oui.

— Vous n'êtes pas resté très longtemps? Il se moque. «Les vacances commencent à peine.»

— J'en avais assez.

— Dites-moi pas que vous vous êtes ennuyé de notre village?

— Non. Je n'avais pas de place où loger.

— Vous n'avez pas d'amis?

— Oui, plein!

Je mens, je n'ai qu'Amandine.

— Ils n'étaient pas là? partis pour les vacances eux aussi?

— Non!

Je réponds n'importe quoi. Squelette, mal à l'aise, s'attend à d'autres réponses.

— Je marchais.

— Moi aussi.

— C'est excellent pour la santé, vous le saviez?

— Qui ne le sait pas?

— C'est vrai.

Il rit bêtement; nous avançons. Je l'observe. Squelette est si décharné que l'air qu'il déplace fait flotter les manches courtes de sa chemise orange et brun fleuri : de gros motifs jaunes et blancs; des marguerites. Elle est affreuse, lui aussi.

— Je vais au fleuve, qu'il me confie. J'aime le fleuve, et vous?

— Beaucoup! Ces voyages qu'on ne fera jamais, je les invente.

Il ne comprend pas, me regarde énigmatique. Je devine qu'il a quelque chose à m'annoncer; les crispations de son visage présagent que ce n'est pas facile.

J'ai envie de l'encourager, de lui tapoter une épaule. «Laissez-vous aller mon petit, vous vous sentirez mieux après!» Je n'ose pas.

Tout à coup, il affirme, sourire mielleux :

— Vous avez fait du bon travail. Nous sommes contents. Lâchez pas, continuez!

Et il ricane encore. Quel crétin! Il débite :

— Il y aura des élections cet automne. Vous habitez ici depuis un an, vous aurez le droit de vote. C'est intéressant!

— Je n'aime pas la politique.

— Ah non? C'est triste! Voter est un devoir pour un citoyen et vous devez...

— Pour qui? Je le freine dans son élan patriotique.

Sa tête se tourne lentement vers moi; son regard voltige, veut savoir si je plaisante...

— Mais... pour moi!

Ses yeux se mesurent aux miens. Squelette a été téméraire, car, à bout de forces, il bat en retraite. Je le rejoins.

— Vous vous présentez avec l'équipe du maire?

Il accélère le pas pour bredouiller :

— Non! Je me présente au poste de maire!

Mes pas stoppent «net, fret, sec».

Quelle stupidité!

C'est étrange, ce que le pouvoir fascine les petites gens! Ces élus, qu'ont-ils réalisé d'important dans ce village depuis que j'y suis? Je me décide à assister à leur prochaine assemblée publique.

C'est ahurissant, une pelure de banane est responsable de ce qui vient de m'arriver!

Maudit que je ferais l'amour!

L'assemblée publique

Ils siègent. Les uns ruminent, le regard rivé sur la paperasse déposée sur la table devant eux, les autres me dévisagent. Cela a pour effet de gonfler ma solitude. Absorbé, le maire promène ici et là un œil distrait pendant que le secrétaire-trésorier énumère d'une voix monotone les différents points à l'ordre du jour. Il y a moi et une horloge qui veillent sur son heure dans la salle remplie de chaises inoccupées. La couleur des murs, bleu délavé, évoque une gentille pouponnière où les nourrissons, assoupis après le biberon, rêvassent de leur avenir incertain. Mes yeux interrogent Colombe. À l'extrémité de la longue table imitant un croissant de lune et sur laquelle se réfléchit la lueur des néons, Jolie gobe du texte et ses lèvres qui remuent affichent son ennui. La voix monocorde du secrétaire produit des ravages sur le moral et le physique des troupes. Encore quelque chose qui me surprend! Gorille, que je n'ai pas vu depuis belle lurette, me sourit. Je lui rends son sourire. Ballon pianote des dix doigts sur sa feuille. Squelette, installé confortablement dans son fauteuil, tête appuyée contre le dossier, s'est endormi. Et, collés aux côtés du maire, se tiennent deux hommes que je ne connais pas. Tiens, tiens, où se cachaient-ils? Ils m'examinent avec insistance. Je les comprends, ils me voient pour la première fois; faut qu'ils s'habituent, qu'ils donnent libre cours à leur méfiance congénitale. Pour les rassurer, j'aimerais me lever et tourner lentement, mais ils montrent trop d'anxiété, j'aurais qu'à faire «Beuh!» et ils s'enfuiraient au pas de course.

C'est plus fort que moi.

— Beuh!

Personne ne court, je suis ridicule, c'est moi qui voudrais m'enfuir.

Pourtant, l'ennuyeux secrétaire s'interrompt éberlué. Squelette s'éveille, émet d'inimitables ronflements entrecoupés de «Où suis-je?», Colombe, qui le rassure, me fusille de ses beaux yeux; Ballon s'arrête de pianoter; Gorille resourit, et les deux inconnus, fixant tantôt le maire, tantôt ma personne, espèrent, anxieux, le verdict du premier magistrat du village.

— Du calme, du calme ! Monsieur Petitclair, qu'avez-vous ? Ses mains valsent dans l'espace et calment ses disciples.

L'air détaché, il ne glisse plus de « f » dans ses mots, ne s'énerve même pas ; il est moins intimidé, pareil à Amandine sa petite-fille qui ne zozote plus. J'aimais pourtant ses zozotements.

Je me lève pour répondre, mais il m'ordonne de me rasseoir :

— Nous sommes entre nous !

— Je n'ai rien.

— Pourquoi avez-vous... fait... ?

— Beuh ?

— Oui, beuh !

Est-ce que je peux être franc, « c'est à cause d'eux ! » ? Non ! qu'est-ce qu'il penserait ?

— C'est ma façon d'éternuer !

Tous se consultent impressionnés, font et refont des commentaires à voix basse aux voisins immédiats. Le maire garde les siens et m'hypnotise de son œil pénétrant. Au bout d'un moment, il tranche :

— Continuons ! Si nous voulons terminer.

Et il repart de plus belle comme s'il n'y avait jamais eu d'arrêt. Je m'endors presque tellement c'est assommant. Sur chaque sujet, ils parlent à tour de rôle. Cherchent-ils à impressionner ? Squelette s'extériorise sans prévenir. Le maire le ramène à l'ordre, maugréant que le point qu'il discute a déjà été débattu et qu'il est inacceptable de revenir dessus ; il a été adopté à l'unanimité ! Chacun des points à l'ordre du jour est approuvé par cette universelle unanimité sans qu'aucun n'acquiesce d'un signe de la main, ne prononce « oui » pour donner son accord au moment du vote. Seul le gouvernant en chef vote, et vite. Gorille grommelle sur la motion de Ballon qui l'obligera à couper une partie de sa haie de cèdres ; Ballon est petit, même sur la pointe des pieds il ne voit plus par-dessus la haie. Colombe, elle, nous informe sur les femmes qui ont peur de sortir le soir depuis que des *étranges* sont installés dans le village voisin. Les deux hommes près du maire demeurent muets durant toute la soirée.

Abrutissant! La politique, peut-être, est faite pour ceux qui s'ennuient? Je n'ai, au cours de cette veillée, entendu que des personnages sans imagination. Ils n'étaient là que pour paraître. C'est triste! Sûrement qu'il y a des gens de valeur dans ce village, mais qui?

L'altruisme n'était pas de l'assemblée. Il y a longtemps que tous l'avaient répudié.

Rêver

Et les vacances s'étirent à n'en plus finir. Quelquefois, j'aperçois certains de mes élèves, au cours de mes randonnées quotidiennes; on se salue avec, dans les yeux, une complicité retenue mais poliment enjouée. Puis, je ne sais pourquoi, de brefs coups d'œil remplacent notre complicité qui me plaisait bien. Tout le chemin parcouru depuis mon arrivée s'efface, telle une chimère. Il est temps que l'école recommence!

Rêver est l'un des passe-temps, disons, que je m'impose. Tout le monde rêve : riche ou pauvre; beau ou laid; grand ou petit; homme ou femme; chien ou chat; oui, tout le monde! De là à me rappeler quelques-uns de mes rêves, c'est autre chose.

Le rêve est le dialogue avec l'inconscient? Mon inconscient est une grande gueule, car je rêve tout le temps. Je rêve, fantasme, délire quotidiennement. C'est épuisant! Je le suis, épuisé, depuis ma petite et triste enfance.

Que de songes éveillés m'ont retenu devant une vitre; que de cauchemars j'ai faits au point de m'éveiller mouillé de sueur, enroulé dans les draps; que de visions excitantes m'ont livré à la masturbation, plaisir solitaire qui abandonne l'homme encore plus seul lorsqu'il s'arrête sans joie, sans jouir.

Je ressens au fond de mon être un si grand besoin de tendresse.

Quelle vie de chien !

Ma tête est bourrée d'insécurité. Je me fiche de ce que je veux, de ce que je souhaite, et la vie m'apparaît insignifiante, insensée. Des jours et des jours que je gaspille. Est-ce que je mourrai vieux ? C'est angoissant ! La plate routine impitoyable mure mon univers : me lever, me nourrir, m'oxygéner, me questionner, me chercher... pour finir par me recoucher. Maudite routine !

Même changer les draps m'est réconfortant – j'existe ! Je les change presque chaque matin. Dans un coin de mon cerveau, une longue liste est enregistrée et, dès que je suis perturbé, j'exécute l'une des choses de la liste. Je me regarde vivre comme d'autres fixent, soir après soir, leur téléviseur. Quelle platitude ! et je n'ai plus de forces pour m'arracher à l'abêtissement.

Je me crétinise ; je deviens sauvage, détraqué, noyé dans mes manies. Bientôt, je n'aurai plus d'espoir et un matin, devant le miroir, je m'interrogerai « Tiens, tu n'es pas mort ? » et je m'oublierai aussi vite que j'aurai pissé pour retomber dans le monde apaisant de mes habitudes, ma folie.

Semblable au chien qui attend une heure précise pour sa marche quotidienne, je sors pour ma promenade.

Le soleil me darde sa joie, c'est d'un manque de tact. Quelle *ennuyance* ! La pluie, l'orage, la fin du monde me combleraient. Je marche, essayant d'imaginer que je promène mon chien. Je suis le promeneur ! Je n'y parviens pas. Au contraire, c'est moi qui me vois chien. Bizarre ? Oui et non, je m'écœure, être n'importe quoi que ce que je suis m'enchante. Tant pis, je suis un toutou !

Je déambule, trottine, et ma fine queue bat avec vigueur la cadence de ma promenade espiègle. Les lamentations des cailloux sous les pas du moi-promeneur ne m'ennuient pas en moi-promené. Je m'observe chien et découvre que je suis un teckel. Moi une saucisse? J'aurais préféré être un berger allemand, un redoutable doberman, un doux labrador; non, je suis une saucisse!

On se demande quelle vie mènent les chiens. À m'épier, je constate que j'ai une belle vie. Des pistes plus ou moins fraîches sur le sol, aucune ne m'intéresse. Teckel et moi-promeneur, nous admirons le paysage; ensemble nous examinons les arbres, les maisonnettes, les feuilles, les fleurs; nos yeux sautent du bouleau avec l'écureuil, nous tournons nos têtes, intrigués par les cris d'une bande d'oiseaux qui se battent à grands coups d'ailes et de becs, puis nos regards se croisent.

Ni saucisse ni moi, ne savons quoi dire.

— Asseyons-nous! C'est le teckel qui parle.

Nous nous assoyons.

— Comment trouves-tu ta vie de chien?

— Toi, comment tu trouves ta vie d'humain?

— Ça tombe mal, de ce temps-là c'est si compliqué, je braillerais.

— Braille!

— Quoi?

— Braille!

— Pourquoi?

— Ta vie est... tu braillerais, non?

— Oui! Mais...

— Braille, une bonne fois pour toutes! et la saucisse disparaît.

C'est stupide ce que je viens d'imaginer!

Tiens, je suis à l'endroit où je me suis assis avec Amandine le jour de la fête. La vie, à sa façon, se confie. Ce n'est pas par hasard que je suis là. Non! Elle me parle d'Amandine, la vie. Pourtant, ma tête, elle, me répète autre chose: ce n'est pas d'Amandine que tu as tant besoin, mais des caresses obsédantes de tes onze ans. Je reviens sur mes pas.

Il y a combien de temps que je n'ai pas été bercé par une femme?

Et pourquoi pas!

J'arrête au bar *topless* pour avoir ma dose d'illusion. Et pourquoi pas!

Squelette, assis au bar, parle fort. C'est bizarre, d'habitude, dès qu'il s'assoit, il s'endort! S'il ne dort pas, c'est qu'il mendie des votes. Je choisis un tabouret solitaire placé entre deux colonnes qui supportent le système d'éclairage; là, personne ne m'aperçoit, sauf le barman. Je commande une bière, il l'apporte dans un seul élan. Le *collet* mousse, épais. Doucement, je souffle dessus pour l'amincir et creuse des cratères dans la *broue*; je me distrais à souffler de plus en plus fort; beaucoup trop fort.

La mousse recouvre maintenant une partie du comptoir et humidifie mon jeans. Les bulles éclatent, pareilles à des ballons de fête crevés de rage parce que nul n'est venu; on est seul dans ce monde!

J'étais mieux avant ma gaffe!

— Monsieur Petitclair, joignez-vous à nous!

C'est le mendiant de votes, j'ai attiré son attention. D'une main j'agite un moitié salut, moitié «laissez-moi tranquille». Il n'insiste pas.

D'où je suis, je reluque les femmes plus ou moins jeunes, plus ou moins belles qui entrent. Elles viennent donner leur «caleçonnade» et je les dévisage, espérant que l'une d'elles me regardera, me sourira; peut-être... un peu plus? Non! Aucune ne me remarque.

Jolie entre par la même porte sans me voir. Je suis à la fois heureux et ému. Dans un instant dansera-t-elle entièrement nue, gavera-t-elle ma vue? J'arrête de boire de peur que l'alcool n'affecte ma vision. Comme l'enfant une nuit de Noël attend *son* Père Noël et *son* présent, j'espère Jolie. Nous sommes en juillet. C'est beau un Noël en juillet! Sur scène, les femmes se frayent un chemin et s'échappent par l'étroite ouverture pratiquée dans le rideau arrière; leurs pas se traînent lourds et balourds. Et de nouvelles danseuses apparaissent, fraîches, affriolantes. Quel contraste! Dès que les orteils colorés touchent les planches, les filles sourient dans leur peau, chantent avec leurs mains, offrent leurs seins, dansent du ventre. Fascinant! Mes yeux pelotent chaque fille pour proclamer : c'est elle! c'est Jolie!

Le changement de danseuses a l'effet de réveiller les habitués qui se sont momifiés sur les chaises bien avant mon arrivée : l'un frappe des mains, un deuxième se lève pour aller aux toilettes faire de la place pour de futures bières, un troisième se tripote le sexe à travers son jeans et crie des vulgarités aux belles qui l'ignorent. Le barman s'occupe du dernier client et le flanque tout de go dehors.

Les femmes fatiguées ont toutes été remplacées; ma Jolie est donc là parmi les pimpantes. Mon regard se promène de l'une à l'autre, du sac de papier à leurs pieds, du ventre à leurs seins, des poignets à leurs chevilles. Comment sont tes chevilles? Je t'ai pourtant admirée dans tes moindres détails, chez toi, assis dans le petit boudoir pendant que tu me disais des phrases que je n'écoutais pas. Je ne me souviens plus. Leurs seins *callent*. Ah! que je me vautrerais bien dans l'une de ces poitrines pour retourner à la quiétude de l'enfance; cette paix que je vis dans des réminiscences. Gamin, j'adorais quand ma mère m'enfouissait dans sa chaleur. Me faut-il régresser jusque-là?

Tout à coup, je perds pied, la concupiscence envahit mon esprit. D'un bond je me lève et m'approche très près de la scène; au passage, l'expression des visages que je croise suggère que je frôle la démence.

Face contre terre! Je me retrouve à l'extérieur propulsé à bout de bras par le barman. Recouvrant ma raison le nez dans le gravier, un peu sonné, je me calme : tu es en manque! Je me lève, me dépoussière machinalement et revois les seins gorgés de tranquillité qui m'appâtaient. Squelette surgit.

— Ça va?

— Oui, oui!

Il est horrifié. Après m'être essuyé la bouche de la main je comprends; un rouge grenat coule entre mes doigts. Je n'aime pas la couleur du sang, pour moi elle est synonyme de douleur. Dans la douleur, je cherche quelle partie de ma face saigne; de mes deux mains, je me tâte du menton au cuir chevelu et je conclus que mes incisives ont mordu à belles dents dans ma lèvre inférieure lors de mon atterrissage forcé sur le sol graveleux. Tout ce temps, Squelette se détourne, dégoûté. Il n'aime pas la vue du sang lui non plus.

Les seins toujours présents à l'esprit, mais maintenant flous dans ma caboche, continuent de m'enfiévrer; je retourne donc dans le bar.

Squelette m'arrête :

— Qu'est-ce que vous faites?

— J'entre!

— Vous ne pouvez plus entrer pour aujourd'hui.

Je suis stupéfait.

— C'est pas vrai?

— Quand le barman vous sort, vous ne pouvez entrer que le lendemain. S'il vous sortait trois fois dans le même mois, vous ne pourriez plus entrer de l'année.

Je suis bougrement déçu. Lorsque Squelette m'aperçoit dans cet état, il se pelotonne contre moi pour chuchoter :

— Mais si vous désirez entrer quand même, j'ai un moyen.

Il tient à mon vote, c'est sûr!

Ma lèvre mordue est douloureuse, mais dans mon cerveau se «zooment» sur grand écran les nichons calmants.

Squelette redemande :

— Nous rentrons?

Vivement, je réponds Oui! et ses longues phalanges osseuses me font signe de le suivre. Je le suis.

Squelette s'immobilise devant une porte qui n'a plus sa poignée et, de la poche droite de son pantalon, il sort un fin et long canif qu'il insère avec dextérité dans la serrure. L'oreille aplatie sur le bois, il mime les grimaces du voleur de coffre-fort auscultant sa victime. Puis, satisfait, il sourit; je compte par deux fois ses dents jaunâtres avant qu'il se décide à tirer lentement, de ses huit ongles plantés dans l'interstice, cette maudite porte pour qu'elle s'ouvre. Surexcité, je sautille sur place. Squelette écrase son index sur sa bouche et siffle bruyamment. Il ne faut pas que je fasse de bruit! Sur la pointe des pieds nous entrons. Je m'envole de bonheur tellement je suis aux oiseaux! Le doigt collé sur ses lèvres, Squelette se tourne vers moi et, lui s'appuyant de toute sa carcasse sur mon bras, nous nous agenouillons. Les fesses sur les talons, nous découvrons entre deux plis usés du rideau une partie des cieux.

Devant moi, les plus mignonnes fesses que Dieu ait créées se dandinent comme des cloches muettes. Je suis en pleine «vision béatifique» et loue le Seigneur. Squelette tapote mon bras, à petits coups timides; il m'irrite. Je vais perdre patience quand je le vois gesticuler : quelqu'un est derrière moi. Frustré dans mon adoration, je me retourne. Surprise indescriptible, bonheur innommable, apparition de la Divinité! J'ai juste envie de crier : Oui! Dieu, je crois! Jolie n'apprécierait pas. Elle se dresse, nue dans sa magnificence, et moi, avec effronterie, je souris à son pubis. Je lève les yeux, elle me menace des siens. Ses bras croisés haussent ses seins, amplifient sa colère, et malgré cela mes prunelles enflammées la prient d'encourager mon excitation.

Elle m'entraîne dans une pièce minuscule à peine éclairée, et je perds Squelette de vue. Nous sommes enfermés, Jolie me dévisage. Puis, fendant la pénombre elle s'avance vers moi – je tressaille d'émotion, il m'est impossible de parler, aussi aux palpitations de mon cœur je m'abandonne. Elle prend mes mains qu'elle pose sur ses seins que j'entrevois à peine. Timides, ils se dissimulent dans mes paumes ardentes. Ensuite, sa bouche s'ajuste à la mienne et Jolie me donne la becquée; sa langue s'infiltre en pâture dans mon bec. Ma blessure m'élance; une légère plainte assourdie dans ma cavité buccale, que je n'aurais pas voulu émettre, m'échappe :

— Aïe!

— Qu'avez-vous?

— Rien, rien, continuons.

Je rouvre grand la bouche pour la suite du baiser, mais Jolie me place face à la faible lumière qui a beaucoup de difficulté à justifier son emploi d'ampoule.

— Que vous est-il arrivé? Mais vous êtes blessé!

Ça me fait penser à sa mère, Rose. Je n'apprécie pas.

Affolée, Jolie s'éloigne. Je ne la vois plus et j'entends l'eau couler. Jamais je n'aurais deviné qu'il y avait un lavabo dans ce débarras ! Elle revient avec un linge dégoulinant dans sa main et éponge ma blessure de légères palpations pour éviter que j'aie mal. En même temps hélas ! elle mouille mes vêtements. Lorsqu'elle s'aperçoit que je dégoutte de partout, elle éclate de rire. C'est la première fois que j'entends une pareille hilarité. Sa gaieté tinte, remplit l'espace – le concerto pour clarinette de Mozart ! Elle rit, rit. Mes oreilles écoutent, je vis dans la plénitude. Admirable Jolie ! Qu'elle est belle ! Je ne ressens plus aucune souffrance, car la passion que Jolie provoque dans ma tête défaillante l'engourdit. Le désir me pénètre, il m'envoûte. La fermeture éclair de mon jeans va s'ouvrir d'elle-même, tout est démesuré !

Soudain son exultation fléchit « diminuendo », et un croassement de corneille égorgée remplace la clarinette. Je comprends que je suis la risée de Jolie, que c'est de moi qu'elle rit quand son doigt fin me pointe avec la compresse détrempée. Jolie crie, crie. Trop près du but, trop près de ce que j'ai rêvé, je me dois de la calmer. Je la touche, elle glousse des cascades de cris aigus.

Une légère crainte m'envahit : on va croire que je la viole !

Des coups de poing font tout vibrer.

— Qui est là ? Je le dis sans réfléchir.

C'est encore lui, l'horreur ! Je vais y perdre la vie ! Jolie brame quelque chose que je ne saisis pas à cause des coups dans la porte et des jurons hurleurs du barman. Je juge bon d'ouvrir, de me rendre. Au moment où je pose la main sur la poignée, le barman, de l'autre côté, décide de percuter la porte d'un bond coup d'épaule ; elle s'arrache de ses gonds pour s'abattre sur mon corps. Je suis aplati sur le sol. Deux poings me frappent, à tâtons. Je me débats, veux me libérer, mais je suis littéralement écrabouillé par la lourde porte et la masse hargneuse du barman. Je ne l'aurais pas cru aussi gras, aussi barbare ! Brusquement, le barbare agrippe mes mains qui dépassent des deux côtés de la porte et tire dessus. Jolie caquète à présent d'une manière inquiétante ; de longues respirations sifflantes sectionnent ses sons pointus.

Puis, sans que je puisse l'expliquer, l'huis s'efface ; c'est un enchantement.

Le bourru de barman est épuisé et, incertaine, l'accalmie s'installe. Moi, par terre, je suis incapable de me relever. J'ai la bouche en cul de poule, mon front est plissé, mes mains sont crispées, mes bras et mes jambes sont raides et écartés.

Les moulures ornementales de la porte sculptent ma tempe droite et les joints des dalles du plancher ma tempe gauche ; je les sens à chaque pulsation. Pour les minutes à venir, je ne suis qu'une véritable boule de tension.

— Agagagaga... impensable d'articuler.

La lumière se dérobe. C'est le barman au-dessus de moi qui me la cache.

— Agagagaga...

Ce que j'essaie de dire c'est : je me suis échappé dans mon jeans !

Le barman le sent.

— Ça pue ben mauvais tout d'un coup.

Jolie ne râle plus. Je la cherche : où es-tu ? Je ne veux pas être seul avec l'orang-outang ! D'un coin de l'œil, je vois le barman s'écarter et la veilleuse me veille, ensuite c'est Jolie qui apparaît. Sa main prévenante se tend vers moi, je saute dessus avec un seul désir : ne plus lâcher sa main.

Jolie et moi, pantelants, côte à côte, asphyxiés par l'haleine méphitique du barman qui pollue le peu d'air emmagasiné dans la pièce, nous sommes immobiles.

— Bon, sortons !

Heureusement qu'elle ordonne de sortir et m'emmène avec elle.

J'ai beaucoup de mal à marcher et j'empeste maintenant autant que le barman. Dans mon jeans, mes peurs malodorantes coulent leur chemin le long de mes cuisses.

— Il faut que j'aille au « petit coin » !

Un pas de plus et j'éparpillerais, à la manière d'un petit poucet, les traces... de ma gêne. Jolie s'apeure :

— Tenez-vous vraiment à rester ici plus longtemps ? visant la direction où *il* est toujours.

Je la fixe droit dans les yeux, l'implore de me montrer au plus vite les toilettes.

— C'est là. Je vous attends.

Je glisse péniblement les pieds sur le sol pour m'y rendre, comme un patineur sans talent.

Après avoir refermé la porte des toilettes, je tâte les murs froids à l'aveuglette pour trouver l'interrupteur, quand quelque chose – c'est une corde – me chatouille le visage. Ma main l'attrape, tire dessus, et une lueur faiblarde éclaire les toilettes. Mon jeans descendu jusqu'aux talons, je me nettoie les fesses et reconnais « Ici, on ne dépense pas à la légère ! ». J'ai mal dans la tête, mal dans le dos, mal dans les os.

On frappe. C'est Jolie :

— Dépêchez-vous.

J'aimerais qu'elle soit à ma place ! Partout que j'en ai, et je sens si mauvais que je n'ai plus de fierté.

Le derrière propre, j'enlève ma chemise, mes souliers, mon jeans, mes chaussettes puis mon sous-vêtement ; tout est maculé. L'odeur, à peu près dissipée, se concentre dans la cuvette des toilettes ; je tire la chasse d'eau et le tourbillon engloutit mon caleçon bleu azur indécrottable avec ses puanteurs.

Quelqu'un entre. Ouf ! c'est Jolie. Je ne sens plus la merde, mais je suis nu. Elle me prévient :

— Il vous cherche.

Sa phrase dite, elle m'examine d'un regard pénétrant. Je crois qu'elle joue, en pensée, avec mes poils bouclés ; qu'elle y promène ses doigts fins, qu'elle les tortille, les défrise ; c'est intenable. La voir nue, me savoir nu fait que se repointe le désir et, là, à la minute, j'atteins « l'érection » jamais atteinte auparavant.

— Crois-tu que c'est le lieu et le temps de *ça* !

Au vrai, ce n'est ni le lieu ni le temps. Mais bon Dieu je suis un homme, pas une machine !

Nous nous dévisageons avec une attention insoutenable. Après que je me suis penché pour ramasser mon jeans, la main de Jolie effleure ma peau ; finie ma résistance ! Accroupie, Jolie m'embrasse voluptueusement ; mon corps implose. Tout m'échappe, mon jeans, ma pudeur. Mes fesses s'appuient contre le lavabo frais. En perte d'équilibre et d'esprit, je me redresse, ferme les yeux, emporté par les félicités de cet instant troublant que peu d'élus vivront.

Le roulement d'un fracas résonne, entremêlé de la voix du barman. C'est la fin de la récréation.

— Ouvrez ou j'enfonce !

Non !

Hélas ! l'entendre a un effet réducteur sur mon membre, mon ardeur, mon plaisir. Je m'habille craintivement. Lorsque Jolie se relève, je l'embrasse à mon tour avec toute la passion que salive ma bouche. Avec force, je la presse sur mon corps brûlant quand la porte s'ouvre ; le barman nous sépare. Je suis empoigné au cou, soulevé à bout de bras ; je touche à peine le sol ; le barman me postillonne dans la figure son haleine mélangée à ses injures.

Par la porte arrière je plane ; celle qui s'était entrouverte sur un coin de paradis se referme. J'atterris face première sur le sol.

Épuisé, échiné, mais la mémoire pleine de l'image de Jolie : ses seins, son ventre, sa peau, son pubis, ses fesses rondes, ses pieds longs et fins, ses jambes élancées, ses yeux, sa, ses, son..., je reprends la route, titubant.

— Ah !

Je soupire, pense à « tout-elle », à elle tout entière.

Est-ce un rêve ? Je me retourne, Squelette approche, pressé. Là, je sais que ce n'était pas un rêve.

— Où étiez-vous ? Qu'est-ce que vous avez sur les tempes ? Pourquoi vous avez l'air béat ?

Je me demande combien de temps il tiendrait à me poser question sur question ; ma main lui fait signe de se calmer. Il s'interrompt, impatient, et, comme je ne réponds pas assez vite à son goût, il pose de nouvelles questions.

— Colombe vous a-t-elle... ?

Je suis outré. Il mime, de sa gueule tordue, de ses mandibules infâmes qu'il remue de l'avant vers l'arrière, la

fellation. Comment ose-t-il? L'a-t-elle... à cette carcasse?
Non! Je ne peux pas croire cette supposition monstrueuse!

— J'comprends pas? Qu'est-ce que vous insinuez?

Squelette me pousse de son coude pointu puis, ricanant,
il donne plus de poids à ses insinuations; moi, qui ne veux
pas agréer ce calomniateur-squelettique, je le frappe, frappe,
frappe. Il hurle :

— Qu'est-ce qui vous prend? Vous êtes amoureux de
Colombe? Elle est pour *nous* autres, pas pour les étrangers!

Mes yeux et mon nez s'emplissent de larmes. La gorge
totalement obstruée, j'étouffe. Je suis nul pour pleurer!

Misérable, je morve et je crache; de l'avant-bras je
m'essuie sur la manche de ma chemise.

Que penser?

« ...le malheur est toujours caché derrière! »

Je me barricade dans ma remise. Sur les vitres sans rideaux,
je pends un drap propre; il y a trop de fenêtres et je n'ai
plus de drap pour me glisser dedans. Je n'arrête pas de
cogiter, de me répéter :

« À chaque fois que le bonheur m'apparaît, le malheur
est toujours caché derrière! »

Depuis des jours et des jours je dors sur un matelas où
des vessies incontinentes s'en sont donné à cœur joie, jadis.
Au réveil, dès que j'entrevois les souillures immortalisées
par l'acide urique ou le sperme, je ressens des nausées et
quelques amères envies. Des nausées, je comprends.
L'envie? c'est toute cette débauche de spermatozoïdes « x »
ou « y » perdus à jamais!

Je n'ai pas de descendance et j'égrène ma trentaine!
Mon doigt suit les taches, et leurs contours prennent la
forme de sculptures de marbre.

J'aimerais peut-être avoir un enfant de Jolie?

Elle a cogné à ma porte, Jolie; deux fois, elle est venue
frapper depuis notre incroyable aventure. Je n'ai pas ouvert,
par lâcheté et, aussi, par peur. Qu'est-ce que je lui dirais? Je

paniquerais à l'entendre s'expliquer, et je ne suis pas prêt à revivre ou à oublier ce qui s'est passé.

Squelette n'aura pas mon vote!

Oui, le malheur est toujours caché derrière!

Après la pluie...

...toujours la pluie. Des journées, des nuitées qu'il pleut : de la fine, de la drue, de la chaude, de la froide... pour tous les goûts! Les plantes noyées dans des mares de boue se plaignent : Au secours! Personne ne se préoccupe d'elles; moi non plus.

Je suis sorti de ma retraite lorsque je n'ai plus rien eu à manger. Ce matin-là, je me suis réveillé en me demandant «Un matelas ça se mange?» Le matelas me dégoûte, je ne tente pas l'expérience. Je sors! Même que je suis résolu à aborder Jolie. Mais on ne se rencontre pas. Elle s'est lassée des promenades qui l'ont attirée vers la remise à l'huis «dur d'oreille». Amandine non plus je ne la vois plus. Chien-veau, lui, s'est évaporé, il est trou de mémoire.

Je marche, et mes yeux habitués au décor s'amusent à se fermer pour détailler à haute voix le paysage que je sais là.

— À cet endroit, à droite, c'est le gigantesque pin. Là, à gauche, la famille des mélèzes et, quelques pas en avant, il y a la légère courbe vers la droite.

Mon jeu est de constater la justesse de ma mémoire. J'hésite. Non! Allez, les quelques pas! Indécis, j'explore du bout de mon soulier la courbe imaginée et, maudites peurs! Où suis-je? J'écarquille les yeux. Excitant, ce jeu! Je mesure le chemin franchi par tâtonnement. Ouais, ouais! Je ne me suis pas trompé. Bravo! Bravo!

Joyeux, je salue le pin, les mélèzes, les cailloux submergés; je m'applaudis.

Mais l'enthousiasme est trompeur, j'avance à tâtons depuis si longtemps dans ma chienne de vie!

L'aveu

Derrière la haie de potentilles jaune vif qui cadastre le terrain contigu de celui de Jolie, je me cache. J'écarte le feuillage fleuri, je scrute les fenêtres de sa maison, mais il n'y a personne. Où sont Jolie et Amandine ? Une brise légère fait pleuvoir çà et là des gouttes froides tassées sur les feuilles alourdies des branches au-dessus de ma tête ; elles glissent sur mes frisettes, roulent sur mon front pour laisser après coup deux traînées de fausses larmes sur mes joues. Je m'ankylose à rester ainsi à croupeton. Au moment où je me relève pour partir, j'entends la douce voix de Jolie près de moi :

— Vous pleurez ?

Jolie touche mon épaule.

— Oui ! (Tout de même, pourquoi lui dirais-je la vérité ?)

Je juge ma tromperie si apparente ; je renverse la tête en arrière, offrant mon visage à de nouvelles larmes de pluie. Ma main sent la chaleur de sa main. Je regarde Jolie, elle sanglote. Mais elle, évidemment, pour de vrai. Alors, je deviens un miraculé, car chacun de mes yeux se mouille doucement, comme quelque chose qui s'apprivoise. Timidement, mes larmes se répandent. Jolie et moi nous nous rapprochons, nous nous accrochons l'un à l'autre, et je profite de l'instant béni. Sa voix susurre, faible ; je la serre trop fort. Je dénoue mon étreinte.

— Pourquoi t'as pas ouvert ?

Je dois mentir, car si je dis la vérité elle quittera mes bras qui enserrent sa taille. Mais je ne peux pas. Elle a droit à *la* vérité, la vérité de Squelette.

Brusquement, sa chaleur et sa compréhension se détachent sous le choc de mes aveux ; elle est complètement affolée. Ma main l'effleure, et une tape violente me fait savoir qu'il ne faut « surtout pas » la toucher !

— Vous avez couché avec Rose. Je ne vous aurais jamais parlé de ça, c'est votre affaire ! Comment tu... vous permettez-vous de...

Elle virevolte sur place, frappe ses cuisses de ses poings. Les gouttes d'eau tombent plus drues, le vent se lève. La colère de Jolie éclate :

— Qui vous a dit ça ?

Je n'ai pas le temps de répondre.

— Vous m'connaissez que depuis un an. J'vous attends pas pour vivre. Vous êtes ridicules, vous et vos histoires « d'adolescent retardé ».

Elle me bouscule, et pendant que je m'affale dans les potentilles elle court jusque chez elle.

« Adolescent retardé » !

Quelle humiliation !

— Je ne suis pas un « adolescent retardé » !

À tue-tête, je le crie à qui veut l'entendre. Il n'y a jamais personne dans les sentiers, sur tous les tons je proteste.

Malheureusement, pour une rare fois, je ne suis pas seul ; quelqu'un s'amène. Gorille, joyeux et amusé, ricane en me dépassant :

— C'est vrai que nous sommes des adolescents retardés, nous, les hommes. C'est ainsi, hélas !

Oui ! Peut-être. Au fond, ce n'est pas d'être « adolescent retardé » qui soit difficile à accepter, c'est de qui le dit. Nous sommes tous plus ou moins vulnérables face à la femme envers qui nos desseins sont inavoués et inassouvis. Je le suis tant en ce moment. Jolie me connaît peu, elle n'a pas conscience de qui je suis, de ce que je vis : mes tourments, mes peurs, mes attentes, mes croyances ; elle me brise.

Entre Jolie et moi c'est une fin sans début !

Pour calmer mon fouillis intérieur, je cours. Pourquoi étais-je allé épier les fenêtres de Jolie ? Idiot ! Au loin, Gorille se dandine, droite gauche, gauche droite, un vrai... Oui ! Il mérite ce surnom. Je le suis, en explosant d'un rire guttural incontrôlable.

C'est pas le temps de rire, crétin !

— Maurice, Maurice !

Je ne bouge pas, je sais qui m'appelle et ça me rend heureux.

— Oui, Amandine.

— Pourquoi tu te tournes pas ?

— Pour étirer le plaisir.

— Quel plaisir ?

— Celui de te revoir.

J'embrasse son front, il est moite.

— Pourquoi t'es essoufflée ?

— Qu'est-ce qu'elle a, maman ?

— J'sais pas.

— Pourquoi elle pleure ?

Je suis surpris. Pourquoi pleure-t-elle ? Elle rage sûrement.

— Des chicanes d'adultes.

— Avec toi ?

— J'veux pas parler de ça.

— Je comprends tout.

— Oui, j'en doute pas.

J'avance de deux ou trois pas pour ne rien dire, me museler. Confier à Amandine ce qui vient de se passer entre sa mère si jolie et moi ? Non !

Elle prend possession de mon bras et nous marchons, silencieux. La déception assombrit les traits de son visage ; moi, mes pensées sont toujours en désordre. Ses doigts compriment mon avant-bras sans que je sache où sont l'index, le majeur ou le pouce. Puis, c'est sa menotte qui s'agrippe, suppliante. Je m'arrête. Je l'observe. Amandine m'apitoie ; ses yeux généreux se noient dans un flux de larmoiement que je devine incontrôlable puisqu'elle sourit. Je demande :

— Pourquoi tu souris ? Pourquoi tu pleures ?

Elle rit, n'essuie pas ses larmes. Sautillant de ses neuf ans de gamine, elle m'empoigne par la main et m'entraîne avec elle en gambades, et moi, lourdement, je me fais tirer. Tout à coup, elle répond à ma question que j'ai eu le temps d'oublier.

— Peut-être parce que maman pleure.

— Pourquoi tu souris ?

Je suis vraiment stupide d'avoir posé cette question.

— Viens voir Colombe, tu veux ?

— Non, je ne peux pas.

Elle lâche ma main, je me sens orphelin.

Son petit être implore si intensément, je vais céder ; mais elle s'enfuit ; je ne céderai donc pas. Ah ! les jeunes sont si impatients !

J'ai poursuivi mon errance jusqu'à ce que ma tête se vide, et je suis rentré pour vite me coucher.

Oui ! Je suis un « adolescent retardé ».

Les enfants

Penser à Jolie ? C'est une pensée perdue ! Il me reste le travail. Les jours – par groupe de sept – deviennent semaines, les vacances s'achèvent, et bientôt je vais retrouver les enfants. Va-t-il falloir que je les réapprivoise ? Je suis prêt à le faire. Oublier ces maudites vacances !

Je hais les vacances autant qu'elles me haïssent !

Assis sur le pas de ma porte, menton dans mes paumes, je regarde passer le temps ! Personne ne marche sur le gravier. Quel endroit bizarre, après un an je n'arrive toujours pas à saisir les gens du *Pays-Perdu*.

Où sont leurs enfants ? Ils doivent s'amuser quelque part !

Je pars à leur recherche.

La journée file, douce, ni trop chaude ni trop fraîche. J'ai envie de crier : enfants, enfants, enfants... comme on appelle son chien égaré. Pourquoi pas ?

— Enfants, enfants, enfants !

Je le hurle, le chante. Je module :

— Enfants, enfants, enfants...

Des chiens jappent, au loin, des cris brefs, étouffés ; enchaînés, ils s'étranglent du désir d'être avec moi. Je m'époumone, les mains en porte-voix :

— Enfants, enfants, enfants...

— Wouf, wouf, wouf...

Ce jappement n'est pas loin. Je scrute le paysage.

— Wouf...

— Montre-toi! Où es-tu chien? Viens, viens, beau chien!

— Wouf...

Enfin un être réel qui daigne sortir de sa cachette. Ce qui m'apparaît est inhumain.

— Quelle horreur...!

Chien-veau, ravi, tortille de son gros cul, jappant son ennui et sa joie mélangés. D'un signe, je lui conseille de ne pas me plaquer au sol, ce qu'il s'apprête à faire. Il assoit sa grosseur nauséabonde, incapable de retenir l'appendice poilu qui fouette les cailloux. Je suis sur mes gardes et crains ses réactions. Vite, j'articule quelque chose :

— Viens chercher les enfants! J'avance de quelques pas.

Affolé à l'idée qu'il m'écrase face contre terre par affection, je me retourne. Il me suit, docile. Est-il plus intelligent? Au bout d'un moment, tanné de me suivre, il me devance et m'offre son arrière-train de poussah à admirer. Tiens, il a épaissi! Attaché, qui ne s'empâte pas?

Je me remets à appeler :

— Enfants, enfants, enfants...

Chien-veau beugle, les sons qui sortent de sa masse de chair bouffie rappellent à la fois ceux du taureau, de l'orignal et du dindon en période de rut. Impossible à apprécier, c'est aussi dissonant qu'un concert de «musique actuelle»! J'arrête le tohu-bohu.

— Assez! Assez! Trouvons-les à la piste!

Ahuri, il s'interroge; pour lui représenter ce que je propose, je montre du doigt les empreintes sur le sol et aspire avec bruit par le nez. Mais son regard incertain ne pétille d'aucune flamme de perspicacité. Je m'agenouille et, reniflant ici et là, j'avance lentement sur les gravillons qui meurtrissent ma chair plaignarde, l'enveloppe de mes genoux. Enjoué, le veau gueule un «wouf» sourd, si profondément sourd que son haleine empeste de ses entrailles. Je me redresse écœuré, sa putride puanteur plein le nez. De l'index, j'effleure les poils de son crâne crasseux pour le féliciter. Il vient de comprendre ? Pas sûr ! J'appréhende ses sautes d'humeur. Dévoré d'inquiétude, je le supplie :

— S'il te plaît, cherche les enfants !

Chien-veau part, un vrai bolide au départ d'une course. Qu'est-ce qu'il a compris ? Où court-il ? Une fraction de seconde je pense prendre mes jambes à mon cou et m'enfuir à l'opposé.

Mais je ne saurai jamais où il va. Je m'élance pour le rattraper.

Parfois, il se tourne, sans doute s'extasie-t-il sur mes longues enjambées car elles sont longues : faut bien, lui il galope, le gros-tas. Quelquefois, il s'immobilise, enfouit son groin dans des pistes invisibles pour moi, et souffle fortement. Pendant que j'en profite pour calmer mon essoufflement, il me reluque ; sa gueule ruisselle de bave collante, de glaise grise luisante où gravillons et brindilles sont captifs. Je lis dans ses yeux l'immensité de l'inexistence totale. Un grand vide !

— Cherche, cherche les enfants. Allez !

Et Chien-veau repart, semant par-ci par-là des cailloux fugitifs. Moi, je reprends ma poursuite, perdant peu à peu l'espoir de revoir les enfants. Faut-il que je m'ennuie pour perdre mon temps avec ce...

À l'instant où le découragement envahit mes pensées, des rires, des éclats de voix tintent à mes oreilles. Le veau et moi nous nous arrêtons. Je lui souris :

— T'es pas aussi stupide que tu parais.

Chien-veau me fixe. Je me demande « Est-ce encore nécessaire de le complimenter ? » Cette fois-ci, c'est lui qui fait les premiers pas, triomphant. L'une de ses pattes disproportionnées heurte ma cuisse ; je la prends et nous nous donnons une franche poignée de main, de patte.

Je suis sous le charme du chien-veau. Il n'est pas bête !

À pas lents, nous nous dirigeons vers les cris qui nous réjouissent tant. Les enfants sont nombreux à crouler sous les rires, à s'amuser, à discuter :

— Imbécile, c'est pas vrai ! Rends-le-moi ! Arrête !

Cachés par les branches basses des épinettes et feuillus qui nous entourent, nous nous délectons au spectacle des gamins qui jouent. Ils sont beaux. Voilà des secondes de fraîcheur que je n'espérais plus. Nous les adorons. Jamais je n'oserais m'approcher, il y a si longtemps que je les ai vus. Nous venons de découvrir leur cachette, je ne serais certainement pas le bienvenu, le veau encore moins.

Le monstre ! Tandis que je me fais cette remarque, il décide pour me narguer de les rejoindre. Les enfants crient : un espion, tuons-le ! J'avoue que je ne suis pas contre cette idée, mes lèvres s'entrouvrent pour renchérir d'un : « Oh oui ! Tuez-le ! » Peut-être qu'il m'est sympathique, après tout, car j'en suis incapable.

La majorité s'oppose à l'idée et Chien-veau est gracié. Lui, ne se rend compte de rien. Il vient de frôler la mort et il se trémousse d'un gamin à l'autre. Une petite fille grimpe sur son dos. Avenant, ce que je ne savais pas, il se laisse faire. Puis, deux, trois... six ; six enfants qui serrent les talons sur ses flancs galopants.

— C'est Chien !

C'est la bouleversante voix d'Amandine.

— Regardez, il a brisé sa chaîne, pauvre chien !

De l'apitoiement plein les yeux, les bras chargés de pitié – comme les mages portaient leurs présents –, les enfants s'approchent du filou pour lui donner l'accolade. Ils le plaignent, le caressent, le chouchoutent. Je suis hors de moi.

C'est moi qui m'ennuie ! C'est moi qui ai eu l'idée de chercher les enfants ! C'est moi qui ai crié à tue-tête « Enfants, enfants, enfants », et c'est ce tricheur qui récolte les plaisirs ! C'est trop injuste. Je juge bon d'intervenir.

— Un homme, sauvons-nous !

Ils s'enfuient à travers bois, et je suis seul avec l'hypocrite.

— T'aurais pas pu rester caché ? que Chien-veau maugrée.

— Certes, j'aurais pu, mais, moi aussi j'aime les enfants !

Ils ne m'ont pas reconnu ! Je suis défait à la manière d'un lacet de bottine. Plantés au beau milieu de leur cache, nous cherchons la raison de leur départ précipité. Ah ! y'a une raison qui me vient à l'esprit : c'est un jeu, ils vont revenir ! Mais ils ne se montrent pas, et nous sommes seuls et tristes.

Je tourne les talons. Assez pour aujourd'hui !

Chien-veau aboie. Pourquoi ? Je continue de m'éloigner.

— Maurice !

La seule chose qui peut me freiner, c'est *une* voix, celle d'Amandine. Lentement, je me retourne. Des deux mains elle caresse la tête du monstre qui en jouit, yeux dans la brume, amoureux. Mes bras s'ouvrent et elle s'y précipite ; je la soulève, la presse contre moi à en avoir des frissons dans tout le corps et Chien-veau jappe, jaloux.

— Pourquoi vous êtes partis ?

— C'est un jeu, voyons !

Et les enfants rieurs reviennent, pointent Amandine du doigt et raillent :

— Elle est amoureuse ! Elle est amoureuse ! Elle...

Amandine se colore rouge belle-tomate-mûre. Je la dépose sur le sol parce que, moi aussi, je rigole. Mais, elle, ne rit pas, elle tente de frapper avec force ceux qui chantonnent maintenant leur rengaine. Ils l'évitent en tournoyant, en courant, en se sauvant.

Épuisée, Amandine reste de dos et ne se hasarde plus à me regarder. Je ne vois que l'extrémité de ses oreilles rouges de gêne. Dans sa tête de neuf ans, sa belle caboche amoureuse, je sais ce qui se passe. Chien-veau, lui, nous observe à tour de rôle avec son air de «Quessé-qu'y-a ? »

Elle bougonne :

— C'est pas vrai. Je suis pas amoureuse.

— C'est pas grave, je t'aime, moi.

— Moi aussi j't'aime !

Sa menotte tâtonne derrière elle sans succès. Je touche sa main. Elle harponne la mienne et se tourne face à moi. Inspirée, elle m'attire à sa hauteur.

— Embrasse-moi !

— Quoi ?

Ses yeux cillent, ses lèvres remuent et imitent des sons de succion. Ce sont des bécots.

Quand je délivre ma main de la sienne et me redresse, elle fait la moue, déçue :

— J'suis une petite fille ? C'est ça ? Pourquoi une petite fille peut pas embrasser ? Dis-le-moi ?

Je ne réponds pas.

— J'ai neuf ans, bientôt dix, je suis pas une enfant. J'ai déjà embrassé, tu sais.

— Je n'ai jamais dit que t'étais une enfant.

— Alors embrasse-moi !

Ma raison s'égare « Je ne peux tout de même pas l'embrasser ? Elle peut être ma fille ! Je suis déjà assez troublé. Pourquoi veut-elle que je l'embrasse ? Je ne désire pas Amandine, je l'aime comme on aime... son petit, son chien, sa voiture. »

Ce n'est pas une voiture qui m'offre ses lèvres en ce moment. Nous sommes seuls, dans les bois ; tiens, Chien-veau s'est endormi ! Personne pour me voir ! Mais c'est ridicule ! Toujours là à s'offrir, Amandine oscille. Est-elle sur le point de faiblir d'amour ? Mais non, Maurice ! elle essaie de garder son équilibre. C'est le mien que je perds.

Je la prends par les épaules et j'embrasse ma petite amie.

Une fois le baiser donné, Amandine souriante me remercie :

— Merci ! Merci ! Merci !

Elle trépigne de joie, ça réveille Chien-veau qui ne s'est aperçu de rien.

Sur le sentier elle s'informe, candide :

— Tu l'aimes ma mère ?

— Je crois que oui.

— Tant mieux ! et, d'un ton dégagé, elle demande :

— C'est ta façon d'embrasser ?

— Oui, pourquoi ?

— C'est vrai que je l'ai déjà fait.

— Ah oui ?

— Ah oui !

« Où veut-elle en venir ? »

— Tu sais bien...

Avec elle non plus, je n'ai plus besoin de parler ; Amandine comprend tout, je n'ai qu'à penser.

— ...quand les gens s'embrassent d'habitude ils...

Je divague « Pense-t-elle aux baisers passionnés des amoureux qui s'enlacent sur les bancs publics ; à leurs langues qui finissent par n'en former qu'une ; à leurs yeux qui chavirent ; à leurs mains qui s'empoignent ; au désir puissant, primitif même, qui les pousse à se dévêtir pour connaître l'extase ? »

— Qu'est-ce qu'ils font d'habitude ?

Mon souffle ralentit. J'ai chaud.

— Ils se disent : je t'aime ! non ?

Je suis rassuré.

— Ah ! Je t'aime.

— Non : je t'aime !

Jamais, je n'ai entendu un « je t'aime ! » prononcé de cette façon ; à la fois tendre, aimant, sincère, juste et beau. Jamais ! Jamais une femme ne m'a déclaré un semblable « je t'aime ». Amandine m'aime vraiment, m'aime de ses neuf ans, bientôt dix ; elle m'aime assez pour me demander si j'aime sa maman. Heureuse, elle me sourit, plein de p'tits cœurs dans les yeux, dans la bouche. Ma main gobe la sienne. Nous ne parlons plus, Chien-veau ouvre la marche.

Arrivée près de sa maison, elle m'invite à entrer ; je lui explique qu'il faut que les choses se tassent un peu, que ce n'est pas certain que sa mère serait contente de me revoir. Conciliante, Amandine porte la paume de sa main à ses lèvres et souffle sur ma figure le baiser qu'elle y a déposé – ses p'tits cœurs amusés. Espiègle, elle s'engouffre dans son chez-soi. Je suis médusé.

Ma pauvre tête

Dans les recoins de mon crâne, les troubles se chamaillent ; j'aimerais la dévisser, cette tête, pour me reposer un peu ; c'est infaisable ! Je suis prisonnier de ma fragilité. Le baiser d'Amandine reçu en pleine figure m'accable d'un désir importun. Je me vois...

Qu'est-ce que ces pensées font là ? Ce ne sont pas mes pensées ! Tout ça est divagation !

J'éprouve une grande confusion en m'interrogeant : « Qu'est-ce qu'ils ressentent, violeurs et pédophiles, une fois leurs fantasmes assouvis ? » Je ne suis pas un des leurs, cette racaille !

Y'a qu'un bain très chaud pour remettre un peu d'équilibre dans ma boule délirante. Je vais ébouillanter mes esprits.

C'est bon ! La tension quitte ma nuque, mon cou, mes épaules et, dans mon cerveau, la « raison » reprend sa place attitrée ; un puzzle humain. La peau fripée, je sors de la baignoire.

Je ressens une inanité infinie à présent, et du fin fond de mon ventre un torrent de grande peine se fraie une sortie. La débâcle ! Mes larmes coulent sans que j'y puisse rien.

Une partie de la nuit, nu et assis sur une chaise, je pleure et mouille mes cuisses de toutes les grandes peines de ma vie. Je suis incapable de bouger.

Je vieillis ?

Chien-veau a pris hypocritement l'habitude – je dis hypocritement car je ne sais à quel moment a commencé son manège, manège qui va unir nos vies – d'écouler ses nuits devant ma porte. Les premières fois, sa puanteur irrespirable a voleté dans la clarté quand je suis sorti ; j'ai retenu mon souffle pour inspirer et expirer beaucoup plus loin sur le sentier. Par hasard, un matin tôt où le soleil m'attirait dehors, je l'ai vu par la fenêtre, échoué de tout son gros corps sur la galerie de ma remise. J'ai ouvert, à pas feutrés j'ai enjambé ses odeurs assoupies et, caché derrière le pin, j'ai hurlé :

— Chien-veau ! Chien-veau !

Il s'est raidi, s'est mis sur ses pattes pour fuir, mais a gratté le sol sur place ; puis, après de clownesques efforts, il a démarré en trombe, se butant à la remise, aux arbustes, aux arbres. C'est là que sans nous consulter nous avons pris une même décision qui allait devenir un rite : notre marche quotidienne. Au cours de notre première randonnée, il a marmonné, moi j'ai rigolé secrètement.

Depuis lors, y'a pas de journées où nous ne mêlons nos foulées. Au retour, je lui cède quelques miettes à grignoter, récompense parce qu'il ne m'a pas emmerdé. Rapidement, il est devenu la poubelle des restes d'hier, lui et ses deux, trois estomacs.

Oui, c'est un veau !

La fin de l'été s'annonce belle ; fin des vacances étouffantes aux canicules déréglées. Je m'évente du journal de la région qui fait un plat des élections que l'on prédit plus que « chaudes » – sûrement l'explication de cette chaleur, la météo n'aime pas la politique, elle n'y croit plus, elle bout de rage. Je brasse l'air sans résultat, son fond étant trop lourd, et Chien-veau halète à mes pieds, la langue, les babines pendantes. Au moment où je relève la tête après m'être épongé le visage d'une vieille serviette de plage imprimée de dessins de femmes peu habillées qui n'exciteraient plus personne, Rose apparaît. Je recache mon visage pour éloigner le cauchemar, la serviette s'arrache de mes mains. Elle est là, Rose, et admire ce qui reste de la pin-up décolorée.

— J'étais plus belle au même âge.

Sûr qu'elle l'était, qu'elle l'est encore.

— On entre ?

— Trop chaud !

— Tu me prêtes le journal ?

Je n'ai rien à répondre, elle agite le journal énergiquement.

— Ça fait longtemps, non ?

Ma tête remue un oui !

— Pourquoi ?

— Pourquoi, quoi ?

Elle ne comprend pas.

— Pourquoi es-tu là ?

— Pour que tu votes du bon bord.

— Pour ton maire?

— Non, surtout pas!

— Pour qui alors?

— N'importe qui, mais pas lui. Je veux partir d'ici. S'il perd ses élections, c'est notre entente; on retourne d'où on vient.

— Et Colombe?

J'ai peur de la réponse.

— Aucune idée.

J'ai peu de temps pour le savoir. Mes pensées courent déjà vers Jolie, et Rose qui est là à me désirer. Ses yeux me mangent, des yeux indigents, dévorants, affamés.

— On entre?

Elle y tient vraiment.

— Non, trop chaud!

— Ah oui? On n'entre pas?

Une main caresse ma tête, l'autre descend dans mon cou, le journal tombe à terre; puis les deux mains de Rose plongent dans l'encolure étroite de mon t-shirt; Rose m'étrangle. Elle m'égratigne le dos et me caresse les pectoraux, le ventre; ses énormes seins goulus, semblables à des grandes bouches, dévorent ma figure. Sous les rondeurs de sa poitrine généreuse qui me muselle je crie «Au secours!», mais ça prend un certain temps pour que Chien-veau capte mon message. Quand il jappe, Rose s'arrête. Elle rit :

— C'est à toi?

— Oui. C'est Chien...

— Il est laid, aussi laid que celui du sentier.

— C'est lui.

— C'est pas à toi?

— Non, mais il m'a adopté.

— Moi aussi, je veux être adoptée.

Féline, elle m'effleure de sa chair suintante qu'une robe rouge échancrée moule; elle se colle à moi, et ses ronds tétons gloutons se regavent.

N'ayant pas la tête au batifolage, je m'arrache de son corps ardent.

— Rose, assez! C'est ridicule! Il y a le chien!

Il nous dévisage. Pauvre bête, il ne sait plus quoi penser; moi non plus d'ailleurs. Nous avons la même expression. Qui a dit : «Un chien finit par ressembler à son maître»? Je devrais m'en débarrasser!

— Bon, bon! Je m'ennuie un peu.

Elle rengaine ses seins émoustillés dans leur tanière. Mais ils sont rebelles; bien enclos, l'un d'eux ressort aussi vite, démon, délinquant.

— Ils veulent jouer avec toi on dirait!

Et elle délivre du soutien-gorge les nichons dodus et bondissants.

— Tenez, amusez-vous!

Rose rit; j'ai devant les yeux deux mamelons joufflus et ébahis.

— T'as pas envie de moi après tant de temps?

Et comment que j'ai envie d'elle! Mais là, j'ai peur de l'après. Les seins giguent. Elle les manipule comme de bouffonnes marionnettes. Je m'esclaffe; offusquée, Rose remballe ses seins, le spectacle est terminé! Furieuse, elle déguerpit.

Pourquoi je ne l'ai pas prise? Pourquoi? Je suis estomaqué, si estomaqué que j'en oublie Jolie et la peur qu'elle parte.

— Je vieillis, Chien-veau. Je vieillis!

Il pose sa tête hirsute sur ma cuisse, pareille à la main qu'un ami y poserait avec affection, compréhension. Je le flatte.

— Décidément, tu es humain toi!

La honte!

Parce que les partis politiques ont imaginé une façon sournoise d'écœurer leurs électeurs, je passe les jours qui suivent tapi dans ma remise. *Le raz de marée du pouvoir!* qu'ils appellent ça. Arrivant à n'importe quelle heure, ils forcent ma porte, ils s'incrustent et attendent. Ils offrent bonbons ou petits gâteaux «faits maison», et pour se débarrasser d'eux il faut leur promettre «Oui, je voterai pour vous!». Je ne me suis fait prendre qu'une seule fois. Non, j'oublie Rose; la première fois, c'était Rose et ses nichons. Elle n'a pas besoin de gâteaux, elle, elle a de si beaux bonbons. La seconde fois, c'était Squelette. J'ai préféré, et de beaucoup, la visite des tétons. Pourquoi ce fameux jour je n'ai pas dit : «Oui!»?

Mais ils sont revenus, les tétons. Dès que j'entends cogner à la porte, je me cache derrière une chaise. Du mieux que je peux, je me dissimule essayant d'être moi-même une chaise, quand, par la vitre qui donne sur la salle à manger, je vois et j'entends Rose qui badine :

— Tu as peur de moi?

J'ouvre. Jamais je n'aurais dû!

Rose commence par me bousculer pour être certaine que je la laisse entrer, puis elle referme, barre la porte et – la clef est toujours dans sa serrure – séance tenante elle se déshabille. Ses lèvres se retroussent, un rictus s'y dessine, qui me glace. Je suis bouche bée. Nue, Rose perd son rictus, elle s'en est dénudée. Ses mains s'agrippent à mes vêtements pour les arracher. Je résiste. Mon père disait souvent : «La chair est faible!» Il avait raison! La chair a cédé!

Je suis étendu sur le plancher froid et Rose me domine; je me sens comme sa monture. Je ne réussis pas à déchiffrer ses pensées, mais elles me sont hostiles. Son esprit, ses chairs, son poids me matent, et j'ai honte. Oui, l'apercevoir au-dessus de moi avec ses yeux, avec ses mamelons triomphants, me paralyse au point que je ne bande pas. Malgré des essais frénétiques, ses exclamations, ses menaces, rien ne raidit. Rose se rhabille aussi vite qu'elle s'est déshabillée, et la porte débarrée elle rugit :

— Devine où je vais!

Ça ne m'intéresse plus. Mon membre me préoccupe, il m'a trahi; j'ai honte. Honte de lui, de moi, de nous.

— Chez Colombe!

Mon corps se tend, je suis inquiet.

— Tu l'aimes n'est-ce pas?

— Je crois.

D'un ton imprégné de méchanceté, celle des sorcières de l'enfance, Rose ricane :

— Elle, elle t'aimera jamais !

Elle part. La porte reste ouverte. D'un saut je suis debout et, oubliant ma nudité, oubliant ma honte, je suis dehors. Sur le sentier je poursuis Rose qui court, pataude.

Les cailloux blessant la plante de mes pieds me ramènent à la raison, à la maison. Je reviens chez moi, me faufilant d'un arbre à l'autre.

Heureusement, personne ne se promène dans ce maudit pays de fous !

J'enfile mon jeans, ma chemise, sans me rendre compte – je fais tant de choses de la même manière – du trouble nouveau qui m'habite : la honte !

Non ! J'aurais jamais dû ouvrir !

Elle m'aime ?

Elle m'aime ? Colombe m'aime ! Elle l'a dit à Rose, c'est pour ça qu'elle est venue. Voilà ses pensées hostiles !

Jolie devient à mes yeux une belle au bois dormant, et Rose une machiavélique sorcière.

Qu'est-ce que je réponds à Jolie si elle m'interroge sur le pourquoi que j'étais nu avec sa maman ? La vérité ! C'est l'écœurement de ne pas savoir sur quel pied danser avec toi, ma Jolie, de n'avoir jamais appris à dire non. C'est ma fragilité. Cette fragilité à nous, les hommes. Cette faiblesse congénitale que nous ont léguée nos pères, cette faiblesse *mâle* !

Je devrais haïr mon père, il m'a si mal appris l'adverbe de négation Non !

Chaque fois que mon pantalon se baisse, c'est qu'il y a *une* peur dans mon esprit, celle de rater quelque chose d'inoubliable, quelque chose qui se produit une seule fois dans la vie, *ma* vie. Quand Rose me chevauchait, il était là le Oui ! C'est du fond de mon être qu'est venu le Non ! Du fin fond de moi je n'ai pas bandé. Quel malheur ! Je ne peux plus avoir confiance dans mon membre viril! Pourquoi mon père ne m'a-t-il jamais parlé?

Trop tard! Comment me battre contre une mère-sorcière qui jette un sort?

Rose est déjà chez Jolie. Rose médit de moi, Jolie la croit. Rose sourit, Jolie pleure. Amandine entre dans la maison et demande à sa grand-mère : «Pourquoi elle pleure ma maman?» Et Rose l'attire à l'écart pour cracher ses ricanements de chipie : «C'est la faute à Maurice, ha, ha, ha...»

Je dois faire quelque chose. Mais je ne peux plus agir comme un immature, ce que j'ai toujours fait. Pas cette fois, c'est peut-être *la* bonne. Je sors.

Sur le sentier je traînasse et, désolantes, des images s'enchaînent : la blonde de mon meilleur ami dans mon lit; Élise que je quitte sans écouter ce que je ressens; mon arrivée dans ce *Pays-Perdu* ; Rose, Jolie...

Rien ne me réussit!

Je suis un navire en perdition sur une mer tumultueuse qui lance un appel de détresse : May Day, May Day, May Day! Je revis le naufrage du Boeing 747, ce cercueil dans lequel mes parents sont montés, craintifs. Mon père, pour se rassurer, rabâchait des mois avant leur départ fatidique : «Il y a beaucoup plus d'accidents mortels sur la route que dans les cieux!» et il s'étouffait dans un rire prémonitoire. Aujourd'hui, mon désarroi est si grand; n'aurait-il pas mieux valu qu'ils eussent été infirmes plutôt que morts pour que je puisse me confier à quelqu'un?

Que j'aimerais m'épancher sur l'épaule maternelle! Au premier de mes mots, maman se fâcherait :

— Ah toi!

Ensuite, elle m'écouterait jusqu'au bout pour trancher d'un : «Qu'est-ce que t'attends? Réagis!»

Je réagis!

Je cours vers la maison de Jolie. Chien-veau et moi, côte à côte, nous avons le regard persévérant des marathoniens qui tentent un ultime effort vers la ligne d'arrivée. Je me sens piégé. Je suis le lièvre qui court après sa carotte. Jolie est ma carotte. Rose...? Je me reproche de ne pas avoir rapporté à Colombe la visite de sa mère lorsqu'elle m'a incité à ne pas voter pour son maire. Qu'est-ce que je lui aurais dit? que je venais d'assister à un spectacle incroyable de nichons-marionnettes? Non! que je m'applique sagement à apprendre à répondre : non merci!

Finalement, la maison de Jolie est là. Je calme ma poitrine oppressée avant de monter les marches, j'ai si peur. Bon, j'y vais! Je saute sur la galerie, puis je cogne à la porte. Amandine m'ouvre :

— Salut! Toi aussi t'es essoufflé?

Je comprends : Rose est déjà passée.

— Non, oui. Jolie... Non, euh! ...Colombe est là?

— Toi aussi, tu cherches maman? Elle est pas là.

— Vite, dis-moi où elle est!

— Ah! Chien!

Il gigote de partout.

— Où est Colombe?

— Au bar je crois.

— Ah non! Pas encore la course!

Je suis épuisé, mais par chance je peux devancer la grosse Rose.

— Viens-tu, Chien-veau?

— Chien qu'il s'appelle.

Je repars, Chien-veau reste. Je crie :

— Oui, t'as raison, excuse-moi.

Je plagie le loup lorsqu'il prend le raccourci pour dépasser chaperon rouge, manger sa grand-mère et, emmitouflé, guetter son dessert. Ouais! Je suis le premier! Où Rose s'est-elle arrêtée en chemin? Sûrement pas pour cueillir des fleurettes. Accoté au chambranle de la porte d'entrée du bar, à bout de souffle, je sue et sens mauvais.

Tant pis, j'entre!

Dès qu'il me voit, le barman me toise. Je lui souris, et il tourne la tête, se demandant à qui je souris. Ma main le salue, et il cherche qui ma main salue. Pendant que son œil meurtrier me mitraille pour ne plus me lâcher de vue, les clients accoudés au bar blaguent. J'approche de la scène, anxieux, et, après avoir ciblé Jolie, je converse avec elle par signes; enfin, j'essaie. Ce que je veux lui dire c'est : moi-vouloir-parler-à-toi ! Elle danse, un sac brun sur la tête; à chacun de mes essais infructueux, elle lève les bras au ciel, ce qui rehausse ses petits seins qui eux non plus ne comprennent rien. C'est pourtant clair, même un sourd saisirait. Le barman s'est rapproché, je le devine à son odeur, à son haleine. Encore et encore je gesticule sans succès; exaspéré, je crie :

— Moi-vouloir-parler-à-toi !

L'index gracieux de Jolie m'indique de venir dans les coulisses, et, au barman qui me défie, il intime de me foutre la paix. Je m'y rends, admirant au passage les déesses frétillantes.

Rose est là, accrochée aux rideaux de l'arrière-scène, haletante comme une jument qui a perdu sa course – c'est deux fois plus essoufflant. À la regarder ainsi, j'éprouve moi aussi de la difficulté à respirer, je fais du mimétisme. Ses bras fouettent le velours des rideaux, ses yeux exorbités – qui expriment l'épouvante de l'oisillon que sa maman-oiseau s'apprête à pousser hors du nid pour son envol inaugural – supplient sa fille qui vient vers elle. Je souris à Jolie qui fixe Rose qui cherche son souffle loin, si loin qu'il donne l'impression de s'être perdu à jamais. La vilaine sorcière étouffée par sa méchanceté va-t-elle cracher des crapauds ?

Jolie, toujours voilée du sac, peste :

— C'est pas le temps de sourire.

— Ôte ton sac.

Elle ajoute sans m'écouter :

— Qu'est-ce que t'as Rose ?

Rose râle des sons inaudibles; je suis si heureux.

— Qu'est-ce qu'elle a ?

Jolie pince mon bras, d'énervement je présume.

— Aïe ! Tu me fais mal.

— Excuse-moi.

Ses deux mains fraîches s'excusent, elles me massent. La râleuse nous dévisage, enragée de voir les doigts fins de sa fille caresser ma peau. Tout à coup, deux mots audibles sifflent entre ses dents :

— Lui...! Lui...!

Jolie répète :

— Lui...? Lui...?

Rose frappe ses cuisses avec ses mains. Même moi qui devrais savoir ce qu'elle mime, je ne comprends plus! Pourquoi se frappe-t-elle les cuisses? D'un seul geste elle soulève sa robe, pointe d'un doigt son pubis et me crie «Lui... lui...» Ah non! Traîtresse, ignoble traîtresse! Dans ma tête, maman-décédée m'encourage : «Qu'est-ce que t'attends? Réagis!»

— Je sais! Je sais...

Jolie enlève son sac et, longuement, quatre yeux m'interrogent.

Je me sens idiot parce que, là, je ne trouve rien à inventer :

— ...elle veut... elle a...

Rose bouche mes lèvres de sa main – sans le vouloir, elle me sauve. Jolie la lui retire.

— Continue!

Rose plaque de nouveau son épaisse paume humide sur ma bouche et baragouine quelque chose qui peut être :

— Ça va!

Le barman se montre, car une partie des rideaux s'est détachée de ses crochets et pendouille.

— Qui a fait ça?

Il sautille comme un pugiliste sans adversaire. Jolie le calme :

— C'est pas grave. Prenez l'escabeau et raccrochez-les!

Il sort en grommelant. La méchante sorcière me brave maintenant, elle ressemble au vautour qui défend sa charogne. Jolie, qui s'impatiente, l'oblige à cracher son venin. Alors, avec un coup d'œil qui en vaut mille, je contemple Jolie. J'ai, si énormément, peur.

— Colombe, tu l'aimes n'est-ce pas?

Embarrassée, Jolie se tait.

— Crois-tu que lui, oui ?

Jolie ne sait quoi répondre. Je bégaie :

— Tu... tu... tu... Colombe...

Rose s'est glissée entre sa fille et moi.

— C'est faux, il-ne-t'aime-pas !

— Rose, arrête, papa m'a tout dit. C'est votre affaire, pas la mienne. Bon, je retourne sur scène.

Quelle riposte ! Et Jolie remonte sur scène coiffée du sac brun. Le regard de Rose m'assassine, tandis que je souris de ravissement ; puis, dans un rire démoniaque elle me crache à la figure un crapaud :

— Impuissant ! Et elle sort par l'arrière.

Humilié. Pétrifié. Je suis pétrifié ! Je suis humilié ! Je suis aphone, foudroyé par un seul petit mot : impuissant !

Le barman arrive avec l'escabeau :

— Tasse-toé !

Incapable de bouger – je viens à peine d'être tassé –, je suis poussé avec rage vers le mur de briques parallèle au rideau. J'ai le réflexe de me protéger avec mes mains quand les briques s'abattent sur moi. Mes genoux cèdent, je m'écrase par terre, désarmé.

Ces quelques minutes, j'ai oublié que la honte, désormais, fait partie de ma vie.

Un vieux souvenir

Je me prépare à retrouver l'ordinaire rassurant des jours de classe. Ces vacances que j'avais pressenties ennuyeuses m'ont laissé complètement déboussolé. Quel été ! Être déraciné si brutalement des fenêtres évocatrices de son enfance.

Bientôt la rentrée. Les enfants me remettront sur pied.

Il me faut voir le maire à son hôtel de ville ; je le surprends assis derrière un bureau encombré de dossiers, de papiers, de chemises ; il se tient recroquevillé, et semble là sans y être. Ses doigts jouent avec un crayon qu'il pointe à l'occasion vers moi, tel un couteau qu'il s'apprêterait à lancer. À quelques centimètres de la chaise de métal gris, le cul suspendu dans le vide, je demeure sur mes gardes, c'est insupportable! L'atmosphère aussi l'est, insupportable, car le maire ne dit mot, mais s'amuse simplement à faire tournoyer son joujou avec une indéniable dextérité. Ça me rappelle le cirque, un de ces moments saisissants, d'une si grande tension qu'il pousse chaque spectateur fasciné, conquis, à désirer sa fin pour battre des mains frénétiquement. Alors que je suis sur le point de manifester mon enthousiasme au bon maire qui, pour mon plus grand bonheur, ressuscite un rare souvenir heureux, le crayon s'écrase sur le bureau; le maire rate son numéro. Je m'assois et n'applaudis pas. Nous sommes déçus; lui, baisse les yeux, moi, je ferme les miens débordants d'images joyeuses de ma première et unique visite sous un chapiteau.

Il y avait des clowns qui rataient leur numéro; eux, c'était exprès, pour rire. L'a-t-il fait à dessein?

Abattu, le maire se lève et marche les mains derrière son dos avec un embarras de condamné dans son cachot avant d'affirmer :

— J'aime la poésie! Et vous?

— Oui, comme tout le monde.

— Non! Tout le monde n'aime pas la poésie!

Il s'arrête derrière moi.

— Savez-vous ce qu'est la poésie?

— Oui, je crois.

— C'est... l'amour!

«Si c'est l'amour, je m'y connais. Je suis tricoté avec ce mot-là : Maman t'aime! Écoute papa qui t'aime! Je veux un enfant de toi, je t'aime! Partons ensemble, nous nous aimons! C'est à devenir brouillé!»

Il poursuit :

— À mon âge on relit les poèmes de sa jeunesse et on reconnaît : j'aurais dû me contenter de les lire, pas d'essayer de les vivre! Vous comprenez?

— Pas vraiment.

— Vous devriez. Je ne vous dicte pas votre conduite, mais attention aux ragots. C'est petit ici, ne l'oubliez pas. Les gens jasent. Vous vous êtes fait sortir du bar *topless*? On adore avoir sous la main un bouc émissaire. Ce serait malheureux que ce soit vous.

Le conseil donné, il s'agenouille devant moi et, serrant mes mains dans les siennes, il me considère, triture mes doigts, rêveur. Gêné, je souris.

Il retourne à sa table bordélique. Après quelques secondes seul à seul avec ses réflexions, il fouille dans une chemise déjà ouverte.

— Qu'est-ce que je peux faire pour vous ?

— Ah oui ! J'oubliais, voici la liste des fournitures scolaires dont j'aurais besoin pour la rentrée.

— Ah ! c'est pour ça ?

Il la met de côté et son regard se perd sur une feuille qu'il vient de prendre. Est-ce que je patiente ou est-ce que je pars ? Je ne sais plus. Tout doucement, la feuille de papier sature son cerveau. Je ne bouge pas. Au bout d'un moment, je dresse haut mon doigt – celui que je dressais enfant quand je voulais quitter la table avant la fin d'un repas assommant –, mais il ne le voit pas ; pour lui, il n'y a que ce maudit papier qui compte, et moi qui attends la permission de partir. Mes parents agissaient de la même façon et continuaient de philosopher sans s'arrêter à mes phalanges dressées. À l'époque, j'avais développé une névralgie au bras droit. Elle se pointe à nouveau, cette douleur, je la sens revenir. Puisque rien de prometteur ne s'annonce, je m'engueule intérieurement pour me convaincre de m'en aller. Le maire ne bronche toujours pas. Je me lève et me penche au-dessus du bureau pour voir ce qu'il y a de si captivant sur sa feuille. Oh oui ! captivant, ce l'est ; c'est une photographie de Jolie. Je sors, incapable de replier mon bras.

Une fois dehors je me masse l'épaule et le coude ; c'est aussi douloureux que lorsque j'étais petit.

Je ne l'avais pas oublié ce souvenir-là ?

Je repense...

Je prépare mes cours. Pour ne pas ennuyer mes élèves si facilement *ennuyables*, j'élabore des recettes, des façons amusantes de faire passer les matières. Chien-veau m'aide en se vautrant sur un tapis mité qui traînait dans un placard et que j'ai étalé dans l'entrée pour lui ; il ne doit pas franchir cette frontière sous peine de retourner dehors !

Je repense souvent à ma visite chez le maire. Pourquoi fixait-il la photo de sa fille ? Qu'est-ce qu'il me disait ce jour-là ? J'ai beau chercher, je ne comprends pas. Alors, j'imagine ma Jolie, je lui récite ma poésie, je lui fais l'amour et... c'est l'embrouillement quand mon « impuissance sexuelle » se rappelle à mon esprit.

Je ne couche plus avec personne ! Désormais, je me contenterai de l'amitié de Chien-veau.

Je me raconte n'importe quoi.

Je me sens si mal foutu ! Il y a des jours où tout va mal ! C'est effroyable de se rendre compte qu'un stupide et célèbre dicton ne réussit pas à décrire notre pitoyable vie.

Il faudrait me réécrire un autre dicton !

C'est à partir de ce moment-là que mes cauchemars se sont manifestés.

Même dans mes rêves...

Dans mes rêves quelque chose se trame. Ils commencent à peu près tous de la même façon. Au début, c'est l'insouciance, la liberté, c'est l'invincible Maurice ; puis *il* surgit, perfide, et je revis mon impuissance. « Il », c'est le cauchemar ! Des nuits cauchemardeuses à être « impuissant » ; à me traiter « d'incapable » parce que ma vie est un éternel déménagement ; à maudire mon faux optimisme qui m'oblige à répéter chaque matin au miroir : « Demain, tu iras mieux, beaucoup mieux, tu verras ! » (Vieux réflexe lorsque l'espérance est introuvable.) Les lendemains s'accumulent et je ne vais jamais mieux.

Je ne reconnais personne dans mes cauchemars, ils n'ont pas de visage ou, s'ils en ont un, il est flou. Jusqu'au jour où Jolie s'y glisse.

Debout au milieu de la salle à manger, elle attend que mon membre durcisse ; moi, nu, je n'ose pas les regarder, ni lui ni elle. Je rabâche : « Excuse-moi ! » et Jolie rit, redit sans cesse la même phrase : « C'est pas grave, c'est pas grave, c'est... » C'est pareil à une ritournelle. Oh oui ! C'est grave ! car *lui*, entêté, reste là, passif.

C'est dramatique quand je me réveille ; si traumatisant que je ne peux plus dormir. Je me sens et me sais si im... incapable ; même mes cauchemars le crient : impuissant !

Je suis un être inconsistant ! La glace qui reproduit mon image me prévient que d'ici peu je ne serai plus que cernes. Je suis « cerné » dans ma raison. Avant, ma vie était plus qu'agréable, et maintenant ce passé frivole n'a plus de sens ! Pourquoi ? Je ne suis même plus capable de me vautrer dans les bras d'une première venue ! Pourtant, les occasions ne manquent pas. Avec le bar *topless* je jauge la marchandise avant ! Pourquoi je ne ressens plus de désir ? Plus d'envie pour ces nuits étirées à gémir aux jouissances ; à rire enfoui entre deux cuisses torrides et succulentes ; à m'épancher sur la taie douillette dans des confidences stériles ? Cette vie, je l'aimais ! Elle ne m'aime plus ! Je suis désemparé, impuissant ! Qu'est-ce que ma mère dirait ?

La guerre peut être belle

Je me laisse porter par la vie de tous les jours. Le chemin des écoliers à nouveau tracé – ils prennent toujours le même –, aux endroits où il n'y a pas ces maudits cailloux, les herbages se foulent, s'écrasent, sèchent. J'aime les raccourcis des enfants, ils leur ressemblent ; je les suivrais à la trace. Ils me ressemblent aussi les raccourcis, car j'ai l'impression que ma vie en est un. Seulement, moi, je n'arrive pas à me suivre.

Chien-veau me talonne jusqu'à l'école pour m'attendre dehors, étendu près de l'imposant portail noir sous le porche de l'église.

Les enfants n'ont pas changé. À tour de rôle, ils me racontent leur été, et ce n'est pas très passionnant. La plupart, confinés dans le village, se sont inventé des jeux monotones; leurs vacances me rappellent celles de mon enfance, je suis rassuré. Leurs regards animés, leurs bouches piailleuses d'où jaillissent trop de mots mélangés expriment leur joie de me retrouver. Quel plaisir! Ils m'interrogent: pour quelle raison le barman m'a-t-il jeté hors du bar? Je raconte. Amandine, que tous dévisagent après ma confession, ne sait plus où se mettre. Ils rient. Pourquoi? Je viens d'avouer que j'aime Jolie, sa maman. La gêne!

Amandine sort. C'est vrai que toute vérité n'est pas bonne à dire! Je m'éclipse pour aller m'excuser, mais elle ne veut plus *jamais* me parler.

Dans la classe, les enfants hurlent. Quand je reviens, tout est sens dessus dessous, j'ai provoqué une émeute.

Divisés en deux clans, les garçons et les filles se barricadent derrière leurs pupitres. Les papiers, les livres, les crayons qu'ils attrapent deviennent vite des projectiles. Je m'attarde dans l'embrasure de la porte à les admirer; je n'ai pas envie de les arrêter, ni de crier. Moi aussi j'en lancerais bien des papiers, des livres, des crayons; je crierais, je rirais; moi aussi, je me cacherais bien dans un coin; sous le pupitre où deux fillettes se content des secrets je conterais les miens; je serais brave comme le garçon monté sur mon bureau qui vocifère «À l'attaque!». Il piétine mes notes de cours, mes affaires tombent par terre, il saisit le globe terrestre. Dans ses mains, c'est un ballon. Il le tient et, d'un coup de pied, il le lance vers la tête ennemie. Ce n'est pas un ballon, car sur les joues de l'ennemi roulent des pleurs. Le globe continue à bondir sur des pupitres, sur des chevelures noires, brunes, blondes; tous les enfants se protègent avec leurs bras ou leurs pieds; des filles se transforment en filles-boucliers pour protéger des gars, puis le globe terrestre atterrit dans mes paumes, il est cabossé, éraflé. C'est la fin.

— La guerre est finie !

Nous rangeons les pupitres, les papiers, les livres, les crayons. En riant, nous chuchotons, des vraies voix d'église, de sous-sol d'église. Les deux fillettes jacassent longuement, dissimulées sous le pupitre ; le bonheur enivre la salle. Je replace la « terre » sur son socle, preuve qu'une guerre a eu lieu ; guerre de rires, guerre de cris. Voilà une belle guerre !

Le fleuve

À chaque fin de journée, je répète aux enfants : la classe est finie pour aujourd'hui ! Puis l'ennui me rattrape ; que faire de ma peau ? Les regarder sortir les uns après les autres ne m'inspire qu'un désir : les retenir pour ne pas rester seul. Amandine s'attarde quelquefois et nous parlons ensemble, de tout. Quand elle part, je me sens plus seul encore. Les chaises renversées sur les pupitres prennent un air abandonné, le mien. Je sors, éteins les lumières, monte les marches et finis par pousser le portail noir où Chien-veau, de l'autre côté, bave de bonheur ; il me requinque un peu. Jamais je ne rentre directement dans ma remise, je vagabonde par de longs détours improvisés.

Un jour j'ai abouti au bord du fleuve.

Il est beau ce fleuve. Il coule, libre et heureux.

Des morceaux de vague clapotent sur sa rive. Le clapotis – des p'tits fous rires – me fait sourire malgré moi.

Je veux avoir des fous rires, moi aussi !

Je me force à rire. Mon rire sonne faux ; je ne peux pas oublier ma tristesse. Et les clapotis ricanent. De moi ?

Mes pas flânent le long de la berge. Chien-veau s'ébat dans l'eau. À tout moment, il plonge gueule ouverte dans les crêtes et les découpe à belles dents. Il est drôle. Elles n'ont plus le temps de se former, les vagues, et elles criaillent : « Non, c'est pas le jeu ! » Pour Chien-veau qui est le plus fort, c'est le jeu !

Un peu plus loin sur la plage qui marque le nombre de mes pas, une petite baie se dessine ; le va-et-vient de l'eau lèche la rive. Lentement, j'approche vers cet endroit où le cours d'eau rétrécit ; je suis les sinuosités de la grève et, regardant vers Chien-veau, j'ai la sensation incroyable de marcher sur les eaux car nous sommes à égalité, lui dedans, moi à longer l'écume. Maintenant, la semelle de mes espadrilles grave nettement le sable humide. Soudain, je perçois des rires. Je pense que ce sont les vagues qui clapotent, et je continue d'avancer.

Non ! C'est autre chose qui rit, aussi beau que les vagues. À quelques mètres, deux jeunes femmes s'amusent à fouetter l'eau du fleuve de leurs mains pour s'asperger. Elles rient, rient. Je crierais «Salut, je m'appelle Maurice ! », mais elles se baignent nues et je me tais. Leurs corps ruisselants scintillent dans le soleil, pailletés d'or ; leurs longs cheveux mouillés se balancent comme des cordages le long d'un mât. Elles sont belles ! Puis leurs mains frappent les lames avec plus de vivacité, et leurs rires bruyants claquent, tels des coups de fouet. Ils martèlent ma cervelle. Celle qui me paraît la plus costaude se jette sur l'autre qui disparaît dans le flot agité. Deux bras jaillissent brusquement et s'agrippent aux cheveux de la tortionnaire. Les secondes s'additionnent. La jeune femme est toujours submergée, celle qui se harponne à la chevelure rousse et lui fait hurler sa hargne ou son plaisir ? Je ne sais pas.

Dans l'espoir qu'elle m'aperçoive et cesse son manège, je marche vers les lutteuses nues. La tortionnaire me voit, mais maintient la tête de l'autre sous l'eau.

— Qu'est-ce que t'attends ? qu'elle hurle.

J'assiste aux derniers soubresauts d'une future noyée. Deux jambes s'étirent et frappent des talons la rousse qui esquive tant bien que mal les coups portés en aveugle. Heureusement, l'un d'eux touche la cible ; dans les dents qu'elle le reçoit. La victime émerge, blonde. La rousse se palpe la bouche ; la blonde, elle, cherche son souffle, le visage empourpré. Lorsqu'elle m'aperçoit à son tour, elle crie d'une voix enrouée :

— Qu'est-ce que tu fais là ?

Je réponds :

— Je me promène.

Elles se regardent, leurs lèvres malicieuses se retroussent et celle qui perd peu à peu ses couleurs d'asphyxiée lance :

— C'est toi le prof ?

Je suis surpris et flatté.

— Oui ! c'est moi !

Prêt à faire le beau, ragaillardi, j'abandonne mes tracasseries pour m'enchaîner aux naïades qui vont me tendre les bras d'un instant à l'autre.

Hélas ! elles ricanent et s'approchent de la rive.

Chaque pas, chaque geste contractent ou décontractent un muscle de leur corps. Face à moi, elles s'arrêtent railleuses. Elles sont magnifiques !

— Tu te souviens de nous ?

Je ne me souviens pas d'elles, mais pas du tout. Je m'insulte : des perfections semblables, quel imbécile pourrait les oublier ? Je sens, au fond de mon pantalon, ma virilité ressuscitée qui se pointe. La blonde fredonne une mélodie anodine et se trémousse. La rousse entre dans le trémoussement.

Ça y est ! Oui ! leur déhanchement parle : le bar *topless* !

La blonde s'étouffe en disant qu'ici je n'ai rien à craindre, qu'il n'y a pas de barman !

Et là, hystériques, elles s'esclaffent. Peu à peu, elles perdent de leur splendeur pour ressembler à deux pintades – c'est si éphémère la beauté ! – criardes et gloussantes. Je m'éloigne. Lorsque je me retourne pour les admirer, je ne vois plus que deux poupées mécaniques aux ressorts détraqués. Idiot ! Je devrais à l'avenir me contenter de l'amitié de Chien-veau ! Oui, mais ma tête est faible ! Beaucoup plus loin, encore, je lorgne vers elles une dernière fois ; elles sont si tentantes à contempler ; elles se plient, se déplient, grandissent sous l'effet de leur rire incontrôlable.

Chien-veau jappe pour me rappeler affectueusement à l'ordre, comme un ami le ferait. Je reviens près de lui.

Troisième partie

...je croise les doigts

Le vieux banc de bois patiné sur lequel je me morfonds haletant, tapi dans mon coin, laisse croire discrètement qu'il a déjà été veiné et, insolent, il luit comme mon front où la peur transparaît. Du bout de mes doigts, j'effleure sa peau vernissée ; ma main, mon poignet, mon bracelet-montre s'y mirent.

La trotteuse tictaque que, d'ici peu, le train arrivera, s'arrêtera.

Il faut qu'il arrête !

Pour apaiser mes bavardages intérieurs, je fais ce que tout le monde rerépète dans une gare : les cent pas.

Il faut qu'il arrive !

Les secondes s'écoulent, insouciantes de ce qui m'obsède : la hantise que surgissent les déments avant que le train m'emporte.

Je me fige d'effroi et je guette le train.

— Enfin je pars ! Je pars ! Je pars ! ma voix le clame, rassure ma raison qui s'affole. Quel coin de pays ! Quels gens bizarres ! Quels souvenirs à raconter, à oublier, à cauchemarder !

Je retourne m'asseoir, me cacher. Mains pendantes devant mes genoux, je croise les doigts. Je n'y crois pas !

Les élections

Le maire, à contrecœur, a gagné ses élections. Squelette, seul autre aspirant à l'« autorité locale suprême », ne faisait pas le poids. De plus, au *Pays-Perdu* ne parlez pas de changement ! Et de toute façon, le maire et Squelette descendent des mêmes gènes : la platitude, la petitesse, beaucoup de merde et de lâcheté.

En cette journée mémorable, le maire, qui n'a pas souhaité sa réélection, m'a investi des pleins pouvoirs quant au bon déroulement de sa défaite. Je connais l'endroit, nous sommes dans l'école, et le temps s'étouffe dans un calme pesant d'ennui sécurisant. Immobile, prêt à bondir de ma chaise postée à côté de la porte pour accueillir les votants, je patiente. Les heures s'égrènent, lassantes, personne n'entre. Du regard, j'interroge les autres – des *politicailleurs* et *politicailleuses* de naissance – qui s'absorbent dans des journaux, livres, tricots, collation, apportés pour tuer le temps ; ils m'ignorent, indifférents. C'est dans ces moments-là que le temps ne cesse d'être assassiné.

Chaque fois que je suis sur le point de m'assoupir, des électeurs se pointent. Je me dresse alors d'un bloc, la bouche pleine de mots de bienvenue, pendant que, hésitants, sourds à mon laïus, ils ou elles se dirigent courbés, fesses serrées, vers la table encombrée de journaux, livres, tricots, collation ; ils ou elles happent un bulletin, votent en catimini, pour vite s'éclipser sans avoir parlé à qui que ce soit et sans regarder quiconque.

Quelle ennuyance !

L'heure de la fermeture du bureau de scrutin a fini par sonner. Le maire m'ordonne de barrer la porte ; j'y vais et me demande : « Pourquoi ce rituel absurde ? » Revenant vers les *politicailleurs*, je les vois qui, semblables à des enfants mal élevés, se ruent, chamailleurs, sur l'unique boîte contenant les bulletins de vote.

La mairesse nous fabrique une crise – une autre – quand elle pressent que son homme l'emportera. Une belle, une vraie crise. La plus violente que ma vie ait vue. Épreuve que je n'oublierai pas... puisque, à quatre pattes, nous ramassons les bulletins qu'elle a éparpillés dans tous les coins de ma classe ; après quoi, nous devons les recompter.

Maudite politique !

Le maire a besoin de ce délai pour domestiquer l'excessive avachie qui se lamente, oscillant comme un esquif fragile sur les vagues – deux chaises stabiliseraient le roulis de ses chairs –, et lui, agenouillé, presse ses mains crispées dans les siennes, les tapote, découragé.

Écœurés, contrariés par la corvée du recomptage, aucun de nous ne lance un «au revoir!» en sortant.

Moi, je ne contrôle pas si tout se déroule selon les règles – y a-t-il quelque chose de plus désespérant? De coups d'œil fréquents, j'épie le couple démonté.

Puis, dans le petit village où les gens craignent tout changement, la vie a poursuivi son cours routinier.

L'hiver

Rose commence par trouver un coupable : moi! Que d'horribles choses elle invente :

— Depuis que t'es là, ça va mal! Les enfants ne sont plus des enfants! Tu m'as prise de force! T'as sauté la plupart des filles du bar *topless*! Raoul et moi on se parle plus par ta faute!

Raoul, c'est son maire. Ils ne font plus «la bagatelle», pourquoi se parleraient-ils? Je laisse dire et faire. Son besoin de se décharger de sa hargne est babylonien.

Pendant d'interminables mois, Rose crie ses inepties chaque fois qu'elle vient aux abords de ma remise. Elle passe et repasse. Je m'habitue, je ne l'écoute pas, je ne l'entends plus. Au début, elle entrouvrait la porte, débitait ses bêtises et repartait en courant, brinquebalant. Maintenant, elle les vocifère du bord du sentier. Les enfants s'amusent de son manège; ils l'attendent, espiègles, dissimulés par les arbres et les haies, et *gnangnanent* à leur tour chaque grossièreté qu'elle gueule sans gêne. Alors, telle une bête féroce, Rose charge les enfants qui fuient surexcités en criant et en riant. Du jour au lendemain je suis l'attraction du *Pays-Perdu*. Jamais, autant de gens n'ont défilé devant mes fenêtres. Ils viennent se divertir : c'est rare ici!

Finalement, l'hiver a raison de la rancœur de Rose et des habitants de ce pays dément. Cette année-là il s'installe tôt. Ce n'est pas moi qui l'ai attiré, il m'horripile.

C'est la seule fois de ma vie que j'applaudis ses froids, que j'aime ses blancheurs mortelles.

Des flocons volent qui ne savent plus où se poser : sur les toits, les carcasses des arbres. De la neige, il y en a partout. Accrochée sur les rebords des châssis ; funambule sur des cordes à linge, sur des fils électriques ou téléphoniques ; scintillante dans le pelage des chiens qui s'ébrouent ; étagée sur des chapeaux d'hommes voûtés sous la charge ; fondante sur des nez de gamins qui rient bienheureux.

Quelle paix !

Après la saison des élections, après la saison des injures de Rose, l'hiver, qui s'étire pour me rendre service, cède sa place au premier temps doux avant-coureur du printemps. Chien-veau et moi n'avons pas vu grand monde pendant la «saison blanche» ; je me contente de donner mes cours et, trois fois par semaine, d'aller aux provisions chez le dépanneur.

Rose et ses semblables s'absentent durant ces bénéfiques mois de froidure. Quelle paix !

Ils préparent mon châtiment.

Un cauchemar !

Tout se passe secrètement, comme le trouble pénètre hypocritement une douce rêverie. Mais je ne rêve pas. J'ai beau me répéter «Tu vas te réveiller, ce sera comme avant !» Non ! Un cauchemar ! Leur fête donnée en mon honneur, celle de leurs «mercis» insidieux, est si loin !

Plus j'y pense, plus j'ai l'impression que tout a été programmé par Rose la démente ! Je sais aussi que le germe de sa déraison a vu le jour à ce fameux anniversaire ; celui de sa fureur ivre, de l'aveu qu'elle a fait à son maire. Leur cérémonie où je me croyais un peu plus heureux de mon sort.

J'ai abouti dans ce trou pour fuir la réalité, *ma* réalité ; après trois années, alors que nous sommes sur le point de nous apaiser, moi et mon passé-antérieur, je me suis retrouvé assailli par de nouvelles craintes. Rose est mes peurs !

Le printemps

Il n'y a pas de saison plus espérée que le printemps. Sa venue insuffle une renaissance, c'est la délivrance pour ceux qui maudissent le froid ; pourtant, cette fois, je ne suis pas de ceux-là. L'hiver m'a débarrassé de Rose, il pourrait s'éterniser encore des lunes ; hélas ! je n'ai pas le pouvoir de le garder. Rose, de son côté, prie pour que le printemps arrive ; elle a gagné !

Tout fond trop vite. Le soleil, déserteur d'il y a belle lurette, se rattrape de sa paresse abusive. Il joue les magiciens, volatilisant les amoncellements de neige, comme Houdini. Les glaçons deviennent des petits étangs ; des flaques remplacent les bancs de neige et l'eau ruisselle le long des sentiers.

Cette année-là, les cailloux ont ressuscité bien avant Pâques.

Pendant que les toits redécouvrent leurs couleurs, moi, je perds les miennes. Je m'attends au pire.

Heureusement qu'ils sont là !

Mes notes et mes livres sous le bras gauche, un petit sac avec le repas du midi dans la main droite, je pars pour mon sous-sol d'église. Chien-veau me suit, les yeux à demi fermés ; il est fatigué depuis quelques jours. C'est sa période de marivaudage et si la demande est forte, lui, par contre, l'est de moins en moins. Souvent, il rentre au matin ; je lui ouvre et il s'étale sur son tapis pour lécher ses parties avec grand soin, préparatifs pour de futures conquêtes ! Je le jalouse car n'ayant séduit aucune femme depuis longtemps, je me demande « suis-je capable de lécher les miennes ? » Le sexe c'est quand même important dans une vie. Passer d'un extrême à l'autre, de trop à pas du tout, c'est inhumain !

Le sentier baigne dans l'eau ; je patauge dans les mares, pas moyen de les enjamber, et je m'amuse comme un gamin. Chien-veau, que j'éclabousse, n'apprécie pas et s'éloigne. Je le retrouve à la porte de l'école.

Descendant les marches qui me rapprochent des enfants, je les entends jacasser et :

— Salut !

Enchantés d'avoir barboté dans l'eau, ils sont trempés, ils sont heureux ! Je donne mes cours, puis trente minutes avant le *dîner* – demi-heure magique –, ils se hasardent à poser leurs questions sur ce qu'ils ne vivent pas, ce qu'ils ne vivront peut-être jamais.

Métamorphosés, ces jeunes, hier renfermés aujourd'hui frondeurs à la première occasion, découvrent que leur peur de l'inconnu s'apprivoise. Pour les gens d'ici, tout est inconnu. Mais ces enfants-là, peu à peu, se différencient de leurs ternes parents. Je suis content, car je sais que quelques-uns s'en sortiront.

Bien sûr, au cours des saisons, ils continueront à errer, à tâtonner, à se tromper et ils essaieront encore et encore de trouver un sens à leur vie ; là-dessus je ne dis mot.

Une question peut être posée plusieurs fois. Réentendre ma réponse rassure les regards incertains ; maintenant, elle est vraisemblable ! Puis, de nouvelles peurs intérieures émergent sous d'autres interrogations. Les enfants me sécurisent. On apprend tellement de la jeunesse si on la laisse s'épanouir. S'ils font confiance à l'adulte qui a fui ce monde, ils se livreront à lui, les enfants. Je les observe, déterminé à contrecarrer leur désarroi. Ensemble, nous pouvons le faire.

Oui, heureusement qu'ils sont là !

Qui ? Quoi... ?

À la fin d'une journée semblable à la plupart de celles vécues ici, Chien-veau n'est pas là à m'attendre. Veinard, il court la *galipote* ! J'effectue le trajet rapidement car, sans raison, je suis inquiet ; c'est rare que je revienne seul. Une fois arrivé, je l'appelle. Pas de jappements dissonants, sourds. Je pose le pied dans ma remise et un bout de papier froissé voltige au-dessus du tapis, déplacé par l'air frais qui me précède. Je le ramasse et lis : « Vous trouverez jamais ! » C'est l'écriture de Rose ; je me souviens très bien du mot planté dans le bouquet de fleurs sur le comptoir de la cuisine, le premier jour. Oui, c'est la même écriture !

Je fixe son mot et m'interroge : « Qui ? Je ne trouverai pas qui ? Quoi ? Chien-veau ? La paix ? L'amour ? » Incompréhensible ! Ce message est trop court. Il lui manque un pronom, un nom !

Je froisse et lance le papier à travers la pièce. La seule façon de ne pas m'affoler est de prendre un bain moussant.

Comment me détendre ? Impensable d'arrêter le cours de mes pensées ! Et je suis seul, et Chien-veau n'est pas là. Est-ce lui que je dois chercher ? Angoissé et couvert de mousse je sors de la baignoire et, vite, m'habille pour foncer à la recherche de Chien-veau.

Celles que j'aime

J'avance en hésitant. Je doute de la direction que j'ai prise. Où chercher ? Je rebrousse chemin et repars vers une autre. Après maintes tentatives où je me donne l'impression d'être un danseur de tango plus qu'un homme qui cherche, je m'immobilise. Les yeux clos, j'écoute et ressens ce qui se hisse du plus profond de moi.

Il y a tant d'images ! Un long métrage ! Une seulement, je n'en veux qu'une. Impossible, elles se multiplient à l'infini. J'arrête la projection.

Je suis inquiet. Là, tout à coup, je suis sûr qu'il s'agit de Chien-veau.

« Tu es débarrassé ! Hier, tu le haïssais non ? Oui, mais... aujourd'hui c'est différent, je l'aime. Pourquoi ? Je crois qu'il est humain, plus humain que les habitants de ce *Pays-Perdu*. On lui a jeté un mauvais sort ! »

Je l'appelle :

— Chien-veau! Chien-veau!

De partout des jappements me répondent, de très loin, mais je ne reconnais pas le sien.

— Chien-veau, Chien-veau, Chien-veau... Pourquoi je pense au mauvais sort? Ballon! Je me rappelle son récit invraisemblable d'une disparue qui s'est métamorphosée en veau monstrueux.

— Chien-veau est de nouveau cette femme qui écrivait sur un bout de papier ce qu'elle voulait dire! C'est pour ça qu'il n'est pas là? Dans ce coin perdu, c'est possible!

Je n'ai parlé à personne de cette histoire de fou. J'aurais dû. Aujourd'hui, j'en saurais davantage.

Je hurle :

— Chien-veau... Chien-veau... Chien-veau...

La neige, encore amassée à des endroits ombragés inaccessibles au soleil printanier, m'empêche de marcher où l'instinct m'attire. Dans les massifs, les talus, il y en a si épais que je joue le cul-de-jatte. C'est mon unique tentative. Fesses, parties gelées, je rampe et roule jusqu'au sentier pour réussir à me mettre debout. Je n'ai plus envie de chercher, j'ai froid et maudis Rose qui a écrit ce billet stupide.

Opalescente, la neige s'agrippe à mes vêtements comme une main de mourante; je la décolle et de longues empreintes sur mes jeans restent imprimées.

La lumière du jour diminue. Une pénombre s'étale, si traînarde qu'il est difficile de prédire combien de temps je peux gueuler «Chien-veau...» en voyant encore. Je l'appelle :

— Chien-veau...

Au même moment, j'entends des pas et mon nom derrière moi :

— Maurice, qu'est-ce que tu fais?

Je sursaute et me retourne pour répondre à Amandine :

— Je cherche Chien-veau.

— C'est Chien!

— Pour toi, oui, pour moi c'est Chien-veau.

— Il a pas deux noms.

— T'as pas plus qu'un nom, toi?

Elle rit.

— J'suis pas un chien !

Nous rions. Je raconte à Amandine – le mot que j'ai trouvé chez moi – et elle s'égosille :

— Chien-veau, Chien-veau, Chien-veau...

Elle ne s'aperçoit pas qu'elle l'appelle Chien-veau. Je l'aime ! Je l'observe. Je l'imite. Nos appels ressemblent à un récitatif d'échos à deux voix. À la fin de notre *a cappella*, nous nous regardons, sans avoir besoin de mots pour nous comprendre. Tous les deux nous aimons Chien, Chien-veau ; elle depuis plus longtemps que moi, mais je l'aime autant maintenant.

— Où il est ?

J'allais poser cette question, Amandine m'a devancé. La seule chose qui nous différencie, c'est le regard ; le sien se mouille de grosses larmes, le mien est sec.

— On va le retrouver, tu verras.

Elle s'assoit sur le sol. Son fessier s'imbibe d'humidité. Ce n'est pas une bonne idée.

— Si tu étais à sa place où te cacherais-tu ?

— Il est pas caché, il est prisonnier. C'est pas pareil.

Un long silence s'étire. Qui garderait prisonnier un monstre à quatre pattes, un chien-veau ? Pourtant, lorsqu'Amandine barbouille ses joues, son menton, son cou de ses grosses larmes fluides, morveuses, je me dis que peut-être elle a raison ! Elle m'émeut.

Je la ramène chez elle dans une obscurité totale. Pas de lune, ni d'étoiles. En haut le noir, en bas quelques masses laiteuses qui indiquent le chemin de sa maison ; des bancs de neige en sursis. Leur blancheur ranime le souvenir d'une statue phosphorescente qui a illuminé mes nuits d'enfance. Enfant, j'avais une statuette de la Vierge et, c'était une envoûtante, souvent nous nous examinions avec douceur. J'étais amoureux.

— Il va revenir, il va revenir !

Devant sa maison, Amandine serre ma main et je souhaite qu'elle la séquestre. Enveloppés tous les deux dans une noirceur impénétrable, nous suivons Jolie des yeux qui, à l'intérieur, se déplace d'une pièce à une autre. Je voudrais deviner à quelle fenêtre elle apparaîtra, mais la porte s'ouvre.

— C'est toi ?

Jolie ne nous a pas vraiment reconnus. Je m'enfuirais bien avec Amandine, le bonheur est si rare ; évidemment je ne le fais pas. Je réponds :

— Oui, c'est elle ! Ça va Colombe ?

— Oui ! Et toi ?

— Disons que oui !

— Entre, Amandine !

Amandine, muette, monte les trois marches ; personne ne parle ; elle entre. Au moment même où, discrètement, je pars, Jolie murmure :

— Maurice !

Et elle se met à fouiller mes pensées, à chercher dans mes yeux l'explication de l'accablement de sa fille. Alors, aux limites du plausible, je raconte ce qui s'est passé. Je suis si vibrant que Jolie s'afflige. Maintenant, sur nos visages transparaît à travers nos traits tirés une ressemblance troublante : la douleur ! Grâce à nos détresses, je pénètre sans être invité dans la maison, car Jolie me plante là et court s'agglutiner à la tristesse de sa fille.

Au milieu du couloir, près de la porte de la chambre d'où des pleurs poignants me mutilent le cœur, je me fais petit.

Jolie soupire :

— Tu vas voir, ça va s'arranger...

Alors que moi aussi je me mets à radoter faiblement «Tu vas voir, ça va s'arranger...», Amandine s'endort et Jolie, comme une automate, caresse les cheveux de la tête assoupie. Glissé près de l'embrasure de la porte, je les admire. Ça aurait dû être différent. J'aurais pu être le beau-père d'Amandine. Déjà «beau», il ne restait qu'à m'initier au rôle de père. Amandine m'a enseigné ce rôle, dès mon arrivée ; à notre première rencontre j'y pensais déjà. Bizarre la vie ! Tout a été mis en place, un casse-tête qui ne sera pas terminé, il lui manque des morceaux...

Les jambes de Jolie m'excitent. Sa jupe courte remonte à mi-cuisses et si belles sont ses cuisses que j'ai faim de son corps, de sa peau, de son duvet. Si j'étais dans un restaurant je crois que je commanderais : «Mademoiselle? Deux cuisses s'il vous plaît, deux cuisses Jolies!» Elle les apporterait et je les tâterais, humerais, mordillerais, lécherais, mangerais!

Hélas! Je suis debout dans une ouverture de porte, voyeur, à contempler celles que j'aime. Les deux femmes que je n'aurai jamais.

Silencieux, je me dirige vers la sortie. Semblable au comédien à la fin de son spectacle, seul mais rempli de bravos qui résonnent dans son ego, moi je sors rempli d'elles.

— Maurice, tu pars?

Je me retourne. Jolie m'appelle de la galerie, elle frissonne dans l'air qui se refuse à divorcer de l'hiver.

— Oui!

— Tu veux qu'on parle?

— Non! Je t'ennuierais.

— Tu m'ennuies pas.

J'approche et, hébété, je bafouille :

— Oh oui! Je me sens ennuyant ce soir.

— Comme tu voudras!

La porte se referme.

Jolie aurait pu insister un peu, je ne me sens pas ennuyant à ce point. Je suis rarement ennuyant.

Je cogne à la vitre. Jolie écarte le rideau et me regarde avant d'ouvrir.

Qu'elle est belle!

— T'as changé d'idée?

— Oui.

— Entre!

Elle s'éloigne dans l'étroit couloir; la porte de la chambre d'Amandine est maintenant fermée. Je la suis et contemple ses fesses-balancier qui s'emparent de tous mes sens. (Au restaurant, j'ajouterais aux deux cuisses les deux fesses appétissantes de Jolie.)

Rendue dans la cuisine, Jolie s'assoit et boit une boisson chaude. Café, thé, tisane?

— Tu veux de l'eau chaude? qu'elle me sourit.

Ah! c'est de l'eau chaude! Je réponds «Oui!».

Je n'en ai pas envie, mais c'est ma façon d'entrer en communion avec elle. Le temps de m'asseoir, Jolie revient et dépose la tasse brûlante devant moi; elle souffle sur ses doigts sensibles.

— C'est excellent pour la digestion!

Elle me rappelle que je n'ai pas mangé. Amandine non plus, mais elle, elle dort. «Qui dort dîne!» Amandine dîne. Y'a que moi qui commence à avoir faim. Après avoir bu une gorgée d'eau, Jolie demande :

— À quoi penses-tu?

Quand on ne sait pas quoi se dire, on pose cette question. Elle ne sait pas, et moi, je ne sais quoi répondre, alors je réponds ce qu'on doit répondre quand on ne sait quoi répondre :

— À rien!

Je suis affamé d'elle et pense à picorer ses seins, ses fesses, ses pieds, son ventre, sa bouche et, si jamais j'ai encore de l'appétit, ses doigts, ses mains, ses épaules, son pubis, son...

Jolie reprend sur le même ton :

— À rien!

Elle découvre ses dents.

Devine-t-elle ce que je pense? C'est ridicule! Mon regard? Elle lit dans mes yeux! Sa main touche la mienne. Qu'elle est chaude! Je baisse les paupières de ravissement et ses doigts s'enlacent à mes doigts. Exaucé, je la prendrais là, sur la table, entre les tasses d'eau fumante. J'y vais! Au moment où je trouve le courage de me lever pour l'attirer dans mes bras, pour la renverser sur la table et l'embrasser, elle me confie :

— Attention à Rose, à chaque fois que je la vois, elle rabâche : y me le paiera!

— Ah? Je fais l'innocent.

Ce n'est pas la mère que je veux étendre sur la table, c'est beaucoup plus Jolie! et si c'était Rose, les pattes de la table ne tiendraient pas le coup. Toujours assise, Jolie bavarde. Il faudrait qu'elle se taise, je perds le fil. Et elle jase et elle s'attend à ce que j'en fasse autant, mais je n'en ai pas le goût. «J'y vais, je l'empoigne!» Je me lève.

— Tu pars déjà?

— Non!

Jolie me déroute.

— Pourquoi tu te lèves?

Elle parle trop! Je l'emprisonne dans mes bras. Elle résiste, se débat; ses mains papillonnent autour de ma tête. Je ne pourrai pas tenir très longtemps! Je la brusque et je n'aime pas ça. Quand ses mains cessent soudainement de voleter pour se poser sur mes épaules, Jolie veut bien s'abandonner dans mes bras. Ses lèvres se rapprochent des miennes, nos regards s'attachent, apaisés.

— Pourquoi? Qu'est-ce qui te prend? D'une voix éteinte et chantante, elle me trouble profondément.

Je la regarde encore un instant; près, très près de moi! Jolie se laisse contempler, et, sans promener mes yeux sur tout ce qu'elle est – je connais peu son âme –, je plonge au sein de son être pour la découvrir. Elle aussi plonge en moi. C'est vrai que le regard est le reflet de l'âme. Elle a de si beaux reflets! J'espère être aussi beau.

— Tu es beau, tu sais!

Je hurlerais! Est-ce que c'est «tu es beau, tu sais!» que Jolie vient de me dire? C'est ce que j'ai entendu! Elle prend mes pensées dans ses menottes chaudes.

— Je t'aime bien!

Quoi? c'est trop, trop en une seule fois. Je ne m'attendais à rien de tel. Jamais je n'aurais pu imaginer cela : entendre qu'elle m'aime! Mes pupilles éclatent de «J't'aime, j't'aime, j't'aime!» Jolie comprend mes pupilles.

— Je sais!

Les gens ici ont un pouvoir!

— Tu vas faire attention, hein?

Attention? Elle sent que je ne la suis pas.

— À Rose !

Elle me reparle encore de la grosse. Je l'ai oubliée celle-là tout un hiver, je peux l'oublier tout un printemps, tout un je t'aime ! Fort des «je t'aime», j'essaie de coucher Jolie entre les tasses pour lui clouer le bec. Elle résiste. Je la retiens, mais lorsqu'elle se renfrogne je la libère.

Elle se rassoit et moi, embarrassé, je sors.

Dehors, l'air est beaucoup plus frais. Heureusement que Jolie n'est pas sortie avec moi, elle attraperait de la «fraîche».

Faites vos jeux !

Interloqué et confus, je suis complètement «mêlé». Je croyais que je lui étais indifférent. Faites vos jeux ! Non ! Là, je ne joue pas, je ne peux jouer avec mon cœur. Je désire ce qu'est Jolie. Je l'aime ! J'aime Amandine et même Chien-veau !

Tiens, je l'avais oublié !

Je cours. Je galope si vite que plusieurs fois je dérape sur la glace. Des flaques sont devenues hypocritement des petites patinoires, ici et là, sur le sentier.

Hélas, l'humain aux quatre pattes ne se languit pas devant ma remise ! En ouvrant, je sens quelque chose sous ma paume. Il y a un bout de papier enroulé autour de la poignée. Je l'arrache à tâtons, j'entre, allume la lumière et lis immédiatement. Toujours la même phrase. Rose n'a pas d'imagination. *Vous trouverez jamais !*

Elle est folle !

Je me couche. Trois. Quatre. Cinq heures... je ne dors pas. Qui réussirait à dormir avec ce qui s'agite dans mon cerveau ? Il y en a pour deux têtes !

Des moutons ? Compte des moutons ! Non ! ils sont bêtes comme Rose. Pas de moutons ! Des gazelles, des éléphants oui ! pas de moutons.

J'additionne les gazelles, les éléphants. Légères, les élégantes sautent par-dessus ma jolie clôture imaginaire et... les lourdauds la démolissent alors qu'elle aurait dû s'ouvrir au sommeil.

Je me lève, le jour pointe. De la fenêtre j'observe le soleil qui s'étire. Plusieurs rayons transpercent les aiguilles des branches de l'énorme pin ; une gelée blanche recouvre le sol aux endroits où la terre, l'herbe, les cailloux s'étaient crus trop vite libérés des froidures. Des bancs de brouillard ondulent et dansent.

Oui, le soleil s'amuse ! Je m'emmerde !

Je reste là à regarder grelotter la nature. Lorsque je m'éloigne de la vitre, le paysage est complètement recouvert d'une brume ouateuse. Mes pensées le sont aussi, ouateuses.

Faites vos jeux !

Je l'ai !

En classe, Amandine est d'une profonde tristesse. Elle demeure silencieuse et le jeu des questions ne l'intéresse plus ; son visage affiche une peine insondable. Ses grands yeux noirs sont éteints et vides à la réalité.

Les premières journées, elle et moi, nous cherchons Chien-veau. Partout où le soleil vigoureux nous ouvre la voie nous avançons et, chaque fois, il nous emmène un peu plus loin ; je finis par me lasser après huit jours. Bien sûr que je suis triste ! mais j'ai de si belles images dans la tête : c'est Jolie.

Ces longues marches tristes à la recherche de Chien-veau raniment un douloureux souvenir que je gardais enfoui à jamais : mon chien guillotiné par un train ! À dix ans, déjà morose, je perdais mon unique ami. Je me souviens... sa tête reposait du côté d'un rail et son corps s'étendait de l'autre côté ; il se chauffait au soleil éclatant ! Je m'étais agenouillé, je l'avais flatté ; mes bras fluets entouraient son corps ; des lèvres, je fouillais les poils et bécotais ses oreilles, qui n'y étaient plus ! En de nombreux baisers tendres je l'embrassais, je l'embrassais et mes lèvres ne discernaient pas ses courtes oreilles, son museau froid, sa barbiche piquante, ses sourcils touffus. Comment ne pas savoir que je baisais la mort ? Mes yeux pleins de douleur et mouillés de larmes ne le distinguaient plus. Du revers de la main, j'avais essuyé mes pleurs, et la sauvagerie de la mort, dans sa folle injustice, était là, la terrifiante ! Mourir décapité ! J'ai si souvent revu dans mes cauchemars la fin atroce de mon ami de jeunesse. J'avais couru, hurlé jusqu'à la maison, et je m'étais enfermé dans ma chambre. Mes parents n'ont jamais su ce qu'il était advenu de mon chien ; d'ailleurs, ils ne m'ont rien demandé. Déjà ils ne se préoccupaient que d'eux.

Je l'avais abandonné sur les gravillons grisâtres de la voie ferrée.

Sa tête, son corps se sont peut-être resoudés dans l'au-delà ?

Chien-veau n'est pas mort, enfin on n'est pas sûr, pas encore. Pourquoi s'inquiéter à l'avance ? On économise des larmes à pleurer au bon moment ! Allez dire ça à une enfant de neuf ans ! Pensez-le, ne le dites pas. C'est ce que je fais. Ma voix réconforte Amandine, ma raison pense différemment.

Après quinze jours de suppositions plus ou moins farfelues, la classe a l'idée d'organiser une immense battue pour mettre fin à la souffrance d'Amandine. Tous, nous partons à la recherche de Chien-veau.

Congé pour la journée !

Son nom résonne dans les plus petits recoins du *Pays-Perdu*. J'écoute les enfants l'appeler. L'émotion noue la gorge des filles ; les garçons hurlent à pleine voix et rient. Ils sont beaux à entendre. Moi, je ne juge pas utile de m'égosiller, je n'attends qu'un « Je l'ai ! » ; Amandine se tient près de moi, découragée. Elle n'y croit plus, elle n'y peut rien ; c'est fini, elle ne reverra jamais chien.

— Je l'ai ! Il est ici !

Je prends la main d'Amandine dans la mienne et nous courons, guidés par les cris gueulards. Nous enjambons des broussailles, des troncs d'arbres couchés ; les appels s'amplifient :

— Il est là ! Je l'ai ! Venez !

En apercevant Chien-veau, je presse le corps d'Amandine
contre le mien et j'enfouis sa figure sur ma poitrine. Il est là,
devant moi, derrière elle. Il dort, comme l'ami de mes dix
ans. Entier, lui.

Les voix faibles bourdonnent :

— C'est lui ! Il dort ? Non ! il ne vit plus !

Amandine pleure.

— Lâche-moi !

Ses poings, ses pieds me frappent pour se libérer de
moi.

— Ouille ! Je la lâche.

Elle se précipite sur Chien-veau qu'elle serre contre son
cœur, le berce comme on berce un enfant malade, un enfant
mort. La pietà ! Elle ressemble à la Vierge de la pitié. Lui,
raide et gelé, si lourd pour elle oscillante de douleur, ne
bouge pas ; son corps est saupoudré de givre. Nous restons
autour d'eux. Nos yeux épient Amandine ; nos mains, nos
bras, nos jambes, nos pensées sont figés dans une détresse
qui ne sait que faire, que dire. Les sanglots d'Amandine
nous brisent le cœur pendant que Chien-veau, mort, l'œil
mi-clos, semble l'admirer une dernière fois.

Le temps passe.

Amandine, les bras collés au cadavre, souffle dans ses
mains ; elle est transie comme nous qui sommes toujours là.
Elle se tourne vers moi, et je ne vois que ses larmes sur ses
joues. Je la supplie :

— Viens !

Sa tête hoche non !

— Viens !

Elle ne fait que mimer des nons. Les filles s'approchent,
leurs mains la touchent – des mains qui fraternisent, qui
l'aiment –, et elle se lève. Doucement, ses doigts crispés
abandonnent *Chien*.

À présent, qu'il dorme en paix !

Nous revenons avec le papotage des cailloux que Chien-
veau a piétinés si souvent.

...en signe d'adieu

Je suis avec Chien-veau.

« Pourquoi tu es mort ? Tu étais si jeune. »

J'ignorais son âge. C'était un jeunot, il bave encore !
« C'est bien toi ! »

Mais ce n'est pas sa bave familière. De sa gueule filtre
une mousse laiteuse qui le déguise d'une fausse barbe de
père Noël. J'ai envie de rire, quand je comprends : tu as été
empoisonné ! Par qui ? Tout de suite, je pense à Rose. Pourquoi elle aurait empoisonné Chien-veau ? C'est pas possible !

Il me faut plus d'un essai pour creuser un trou assez
grand et le tirer dedans.

Avant de le quitter, je dépose en guise d'adieu un baiser
sur la terre qui le recouvre. Elle retient à peine l'empreinte
de mes lèvres.

Je suis triste, je ne verrai plus Chien-veau. Je me sens si
seul ! Je le suis.

Pensées posthumes

Jour après jour, je me rends compte à quel point je prolonge
le deuil de Chien-veau. Je garde une partie de mes habitudes : ouvrir la porte tôt le matin pour qu'il entre et s'affale
sur son tapis ; partir enseigner, l'appeler ou simplement
vérifier où il lambine ; pousser le portail et le chercher d'un
coup d'œil... tous ces gestes que je refais dans l'espoir qu'il
soit là.

Je me surprends à parler seul ! Hier, il m'écoutait. Ah ! il
ne comprenait pas tout ce que je disais. Quelquefois, il
feignait de ne pas m'entendre, je le lisais dans son regard
bêta.

Et moi qui ne me doutais pas que j'étais bien avec lui !

Chaque jour, plusieurs de mes pensées s'envolent vers
lui. Là où il est, il voit que je m'ennuie, comme lui aussi
s'ennuie peut-être. Ces pensées, je les nomme pensées pos-
thumes.

...elle ne me regarde jamais....

Le printemps finit par s'installer définitivement; plus de neige, plus de nuits froides. Exténué, dans son obstination à faire fondre ce qu'il dardait, le soleil est invisible depuis au moins une dizaine de jours; sa remplaçante est la pluie. À chaque aurore qui se lève avec moi, je guette quelques rayons saumonés à travers les branches du pin, eh non! l'eau pleut. J'aime la pluie, mais dix jours, c'est exagéré! Ça m'énerve!

Revêtu d'un imper kaki, mes notes, mes livres sous le bras et dans l'autre main mon lunch, je pars vers l'église. Avant de dévaler l'escalier d'où montent des bribes de cris perçants, j'enlève mon ciré trempé, le secoue et l'accroche au clou planté dans le mur en haut des marches. À quoi a servi ce clou, cloué là? J'en sais rien.

La porte franchie, les enfants rient.

L'enfance doit être amusante! Elle vieillit vite, l'enfance; ils auront tous du temps pour s'interroger un jour : pourquoi ne rit-on plus comme lorsqu'on est jeune? Amandine, elle, me sourit de temps à autre, pas davantage. Quelquefois, je la raccompagne jusque chez elle et je vois ma Jolie, mais c'est une Jolie distante et je n'ose pas demander pourquoi. Elle m'affecte avec son indifférence et me paralyse. Alors, je repars rapidement, peiné. Amandine, qui ne s'est toujours pas consolée de la mort de Chien-veau, ne dit mot, et, dès que je m'éloigne, elle entre dans sa maison; c'est parce que je me retourne chaque fois pour lui sourire que je le sais; elle ne me regarde jamais, ni ne me retourne mes sourires.

Voilà la vie!

Je continue patiemment d'attirer les enfants hors des dédales de leur bêtise congénitale. Mon père s'écriait pour répondre à mes objections : «Tout est possible! Tout est faisable!» J'espère que cette maxime s'applique à ces rejetons qui, chaque jour, désapprennent un peu de leurs jeunes peurs et rigolent, pleins d'espérance.

Dans mes oreilles leur rire jaillit, éclatant; il s'égrène libre et franc, c'est le rire de la vie; le rire que mes parents auraient dû m'apprendre. Mais elle ne connaissait pas ce rire-là, ma famille, notre réalité étant si «raisonnée». Maintenant, je reconnais qu'il m'a manqué.

Quand l'enfant donne libre cours à sa joie son regard illumine; de sa bouche grande ouverte s'évade une multitude de petits «ah» saccadés, telle une épidémie; ses bras se croisent sur son ventre bondissant, gonflé de ses rires; dans ses yeux brille une merveilleuse hilarité; ses larmes noient un *decrescendo* d'éclats de sons, de cris chaotiques, derniers instants de folie passagère où il frotte de ses deux mains ses yeux, sa bouche, son nez qui pique, qui coule, et, enfin, dans une ultime agitation, son enthousiasme déferle, décroît et se brise. Hélas! c'est fini, le souffle manque. La mort le frôle! Voilà la Vie!

J'aurais aimé que la vie déraille avec papa, maman et moi.

À l'avenir j'aurai de l'appétit pour trois!

Mon esprit divague...

Je m'ennuie de Chien-veau et la vie devient monotone. Personne à qui parler. Je souffre et jalouse ceux qui ont encore un chien ou un chat; c'est l'aboutissement d'une insupportable solitude qui unit les animaux et les humains dans l'amitié.

Je m'emmerde sans mon complice, et je ne savais même pas qu'il l'était. Ça n'a pas toujours été facile, mais il m'avait charmé. Gros, laid, difforme, je l'aimais gros, laid, difforme.

On les surnomme bêtes de compagnie, et ils sont souvent moins bêtes que l'homme, plus altruistes que bien des humains. Je préférais la compagnie de Chien-veau à celle de la majorité des gens qui croupissent ici; à part Amandine, qui était son amie.

Mon esprit divague, il m'amène vers Jolie. Ah! Jolie! Vit-elle depuis trop longtemps dans ce trou perdu? C'est possible qu'elle soit, elle aussi, ma Jolie, perdue, qu'il soit trop tard, comme une sorte de cancer qui couve, de tumeur maligne qui s'est gavée tout ce temps-là aux dépens des peurs, des fuites de Jolie de ne pas vouloir voir, se voir; le miroir un matin a réfléchi son âme blessée, mais Jolie s'est dérobée pour jouer celle qui n'a pas de temps.

Mon père dirait «C'est pas facile de se regarder en face!». C'est incroyable tout ce qu'il a pu dire cet homme! S'est-il déjà regardé en face une seule fois? Non! je ne crois pas, car il aurait cessé de débiter ses âneries.

Quelle tristesse! C'est la perte de Chien-veau qui me fait débloquer.

Je ne me pose pas la même question pour ma mère. Elle rêvassait éveillée, maman, et lorsqu'elle s'endormait, c'était pour sombrer dans le néant. Son appréhension à s'abandonner au rêve l'incitait, chaque soir, à croquer des somnifères dans un rituel qu'elle chérissait, où la gestuelle était essentielle à l'efficacité de ses cachets; ensuite, elle s'étendait dans l'attente d'un engourdissement presque immédiat.

J'attends le sommeil qui ne vient pas. Pourquoi viendrait-il? Je n'y tiens pas. Je ne veux, ne peux dormir, j'ai trop de mirages dans le cerveau.

Je me pelotonne sur le côté et Jolie apparaît; je susurre :

«Même si tu es perdue parce que tu vis depuis trop longtemps dans ton trou, je t'aimerais quand même!»

J'endors Jolie dans les replis du rêve.

Pourquoi?

Depuis la mort inexpliquée de Chien-veau, je remue de fragiles images que j'avais négligées. Ces souvenirs retrouvés m'émeuvent de tristesse ou m'animent de plaisir. Ma première rencontre avec Chien-veau m'attendrit. Dire que je t'aurais tué! Amandine fait partie de ce passé. Je revois... sa menotte piger dans le sac de bonbons; la course folle de

Chien-veau qui fonce vers moi ; nous trouvons la cachette des enfants ; Rose qui m'offre ses deux tétons devant Chien-veau qui s'interroge.

Je regarde dehors, le soleil brille... Il ne nous rend pas plus brillants ! Tout à coup, quelque chose bouge près du gros pin. Je plisse les yeux pour mieux voir, il n'y a rien. J'ai dû rêver ! Non ! c'est Rose ! Vite, je m'écarte de la fenêtre. Caché derrière l'encadrement de la fenêtre, je suis ses zigzags d'un tronc à l'autre. Rose trimballe un objet qui semble lourd, car elle se penche d'un seul côté, dans la posture du bagnard qui porte son châtiment. À la limite du sentier elle s'accroupit et perd l'équilibre. Après plusieurs balancements de ses bras, de va-et-vient du cul, Rose roule sur son flanc, ensuite elle s'agenouille. Dans les herbes hautes, près de ma remise, elle rampe et se faufile maintenant ; je me réfugie sous la table, blotti entre seize pattes de chaise.

— Au secours ! Maman !

La vitre par laquelle j'observais Rose à l'instant se fracasse. Des orteils aux racines des cheveux, mon corps tremble de saisissement. Au milieu de la salle à manger, une énorme roche trône.

Elle est complètement folle !

À croupetons, j'avance, sautille vers la fenêtre avec la peur bleue de recevoir en pleine figure un projectile. Rose s'éloigne, balourde, fonce dans le bosquet d'épinettes et disparaît.

Les branches peureuses se balancent longuement après son passage.

Je ramasse la pierre où un papier est enroulé et attaché. Tout en jetant un coup œil à l'extérieur je le détache. Je lis : *C'est pas fini !*

Oui, elle l'est, folle ! Elle continue à se venger.

Par terre, dans les éclats de verre brisé, un soleil orgueilleux se mire scintillant. « J'ai été incapable de faire fondre sa haine ! Excuse-moi ! » qu'il reflète.

...je me suis reconnu...

Je donne une autre chance au bon vieux proverbe préféré du paternel « Le temps finit toujours par tout arranger ! », quoique depuis ma naissance il m'embrouille.

Les bourgeons se pointent, s'ouvrent, et de minuscules feuilles vertes appétissantes voilent par-ci par-là les trouées qui me rassurent. Je voyais plus loin avant que les feuilles verdoient ! Décidément, l'hiver aurait dû s'éterniser.

Craintive depuis l'histoire de la roche, ma tête se comporte comme une girouette, prête à surprendre un éventuel suiveur. Au moindre craquement, au plus petit bruit lorsque je marche, je m'arrête et cherche à travers le feuillage la grosse Rose. Instinctivement, mes mains affolées cachent mes yeux pour me protéger d'une pierre qu'elle pourrait me lancer. Un jour, un renard a rôdé, une autre fois une mouffette a trottiné ; un chevreuil a mâchouillé du lichen. Je l'ai admiré jusqu'à ce que mes genoux me fassent sentir qu'ils ne font pas assez d'exercices.

Le chevreuil s'est enfui. Nous avons eu si peur lui et moi que je me suis reconnu dans ses yeux effrayés.

Allô ?

Le sourire me retrouve. Excellente idée d'avoir laissé couler du temps, car rien de fâcheux n'est arrivé depuis la vitre cassée. Moins inquiet, je me rends à l'église, ne scrute plus le paysage au moindre bruissement, je sifflote même de bien-être.

Un jour, Amandine m'apprend que j'ai « beaucoup » de courrier au bureau de poste ; la postière lui a demandé de me transmettre le message.

Au *Pays-Perdu* il n'y a pas de facteur et leur bureau de poste – comme le bar *topless* – est l'endroit où les villageois se côtoient, s'épient et, quelquefois, risquent un mot ou deux sur la pluie et le beau temps.

Après la classe, je vais chercher mon courrier. Une lettre m'attend. Ici, « une » lettre, c'est fabuleux ! Intrigué, je la glisse dans la poche de mon blouson et, au moment où je sors, un brave parmi les hommes assis marmonne, les yeux levés au plafond, « Fait beau hein ? L'école, ça va ? Chez vous, la vitre, elle est réparée ? ». Je souris, embarrassé, et, pendant que tous rigolent, je pars.

J'examine l'enveloppe. Qui s'intéresse à moi pour m'écrire ? En marchant je l'ouvre.

— Non ! Ça y est ?

Je saute, à moitié fou, sur le sentier je jubile. C'est la commission scolaire. La réponse est... Ouiiiiiii... Je peux enfin partir !

Je n'y croyais plus. L'année terminée, je serai muté à la ville. À la commission scolaire on veut ma réponse... Non ! c'est pas vrai ? Non ! deux semaines ? Je devais leur notifier... il y a deux semaines ?

Il faut que je leur parle ; je retourne d'où je viens. Il n'est pas trop tard ? Ce serait trop injuste !

Le brave et ses acolytes sont très surpris de me revoir si vite.

— Je dois téléphoner !

— Allez dans la cabine !

— Où ? (Je n'ai téléphoné à personne depuis que je suis ici.)

— Là, juste derrière vous, voyons !

Je pivote et je me précipite dans la cabine. En parcourant les quelques lignes du mot je cherche un numéro de téléphone...

— Je l'ai !

Je compose les chiffres sur le vieux cadran à roulette, puis, à l'autre bout du fil, une téléphoniste me prie d'insérer des pièces, que je n'ai pas, dans les fentes appropriées.

— Je reviens !

Je ne suis qu'énervement.

— Avez-vous de la monnaie ?

— Combien ? m'interroge la postière.

— Combien ? Beaucoup ! Oui beaucoup !

— Vous êtes encore là ? que je hurle à la téléphoniste.

Je nourris le téléphone et tout de suite il sonne.

— Répondez! Répondez... Allô? Oui? C'est moi... je...

Une voix d'idiote qui ne m'écoute pas me débite un message appris par cœur; je raccroche. En ville, les bureaux sont fermés. Déprimé, je stagne un long moment enfermé dans la cabine téléphonique. Lorsque je pousse les portes battantes, tous les hommes me dévisagent, espérant y découvrir quelque chose. Je suis découragé, pareil à eux qui le sont maintenant, car je sors sans rien leur dire.

Des perles!

L'attente est un effroyable supplice interminable. Ma montre, je l'intimide; pas une seule minute sans que je tourne mon poignet à la hauteur des yeux pour trotter avec sa trotteuse. Entre mes oreilles ça trotte aussi. Mes pensées sont noires, comme une nuit infinie.

Que se passera-t-il demain? La voix idiote sera-t-elle encore là? Est-ce qu'il est trop tard? Non! Je partirai d'ici!

J'aimerais que Chien-veau soit là pour pouvoir me confier à lui. Sa caboche intriguée se balancerait, ses sourcils en broussaille se retrousseraient, son appendice branlerait et il me lécherait bêtement, pensant je ne sais quoi.

Je suis debout avant l'aube et je l'attends, elle, devant la fenêtre. Enfin, elle se lève, s'étire, s'étale à l'horizon à travers des branches décorées de larmes délicates. Tous les arbres brillent de gouttelettes de rosée qui pendent scintillantes, frissonnantes, semblables à des guirlandes oubliées dans le sapin d'un Noël passé. Des perles! Les arbres s'ornent de magnifiques perles. Présage de mon départ?

J'aime les arbres, ils sont ce que nous sommes : droits! fiers! courbés! tordus! frêles! gros! forts! arrogants! timides! démesurés! atrophiés! accrochés à leurs racines comme nous aux nôtres. J'aime le jour qui se lève, mais aujourd'hui il me fait si peur!

Une fois, deux fois...

Je piétine d'impatience à deux pas du bureau de poste pour y donner l'assaut à huit heures trente précises, la seconde près où la commission scolaire me répondra. «Cinq, quatre, trois, deux...»

— Madame, donnez-moi de la monnaie! Toute votre monnaie!

Elle est époustouflée.

Je compose le numéro, nourris de piécettes le téléphone, qui sonne.

— Répondez! Allez! Oui? Allô? Je m'appelle Maurice Petitclair...

C'est la même, l'idiote qui n'écoute pas. Je commence à penser que je préfère le message enregistré. Elle me passe à quelqu'un qui «sera au courant» de ce qu'elle ne comprend pas. C'est un homme. Il est pire qu'elle, je ne peux placer un mot. «Vous n'êtes pas dans mes dossiers!» qu'il conclut après que j'ai réussi à me nommer; il m'abandonne à une femme. D'une voix lancinante – elle est, je ne crois pas me tromper, aux portes d'une retraite qu'elle vit déjà pleinement – la femme s'applique à répéter chaque phrase, plusieurs fois, comme si j'écrivais sous sa dictée. Un ancien prof? Oui! c'est sûrement une ancienne maîtresse d'école. Et durant ce temps, je n'arrête pas de fourrer mon argent dans les fentes du téléphone vorace. Lorsque la téléphoniste en redemande, la vieille prof s'inquiète «Allô? Allô? Vous me parlez?» et je la rassure, et elle recommence à me poser les mêmes questions. Une fois, deux fois, trois... J'explose:

— Mais vous ne comprenez rien!

Personne ne s'entend plus. Nous gueulons tous les trois si fort dans le récepteur que je perçois un: clic! Je m'affaisse, épuisé, au fond de la cabine.

— On a raccroché, monsieur! que la téléphoniste m'annonce.

Je le savais. C'est justement pour ça que je me suis affalé le cul par terre.

— Mademoiselle! Voudriez-vous recomposer, s'il vous plaît?

Je reparle à l'idiote, à l'homme qui me reconnaît et, vite, il me met en attente, car «celui qui m'aidera est occupé»! Le téléphone bouffe toujours mes sous.

Alléluia! «Celui» est un directeur et il est au courant de mon cas! «Il n'est pas trop tard.» À l'instant même il vérifie. Il me raconte qu'une jeune enseignante est à la recherche d'un poste permanent. J'entrerais dans les Krishna pour extérioriser mon enthousiasme sur le trottoir de la commission scolaire, tellement je suis ravi.

Tout s'arrange. Je remercie mon sauveur, que j'aurais embrassé s'il avait été à mes côté, et je raccroche. Dehors, soleil et moi sommes radieux comme des jumeaux. Je rayonne de bonheur jusqu'à la remise; j'aurais aimé rayonner plus longtemps, mais il y a toujours une idée noire qui se traîne dans un recoin du cerveau pour brouiller nos instants de bonheur et les vaincre.

«Ça ne marchera pas!»

Pourquoi noire? J'éprouve tout d'un coup de la sympathie pour ceux qui le sont, noirs, et qui subissent ces expressions consacrées dans notre vie quotidienne : idée noire, noir de peur, travail au noir, noir de monde, messe noire, marché noir, magie noire...

...plus d'oreilles...

Chaque fin d'après-midi j'atterris au bureau de poste; j'espère la confirmation écrite de ma mutation loin du *Pays-Perdu*. Les villageois, depuis quelque temps, me dévisagent étrangement; le brave et ses amis ne posent plus de questions en l'air, mais me fixent l'œil torve. Petit à petit, je me sens inquiet.

À la ville on se rend n'importe où : au restaurant, dans une épicerie ou dans une pharmacie, et on parle avec les gens. Demander un renseignement, un paquet de cigarettes qu'on ne fumera peut-être pas, c'est parler! Ici, je ne peux pas. Tout le monde me connaît et on ne me parle jamais!

Je frôle l'extrême limite de l'aliénation. Je n'ai plus d'oreilles pour m'écouter. Est-ce que je leur ressemble?

...grillons et grenouilles...

Un soir où je m'alite bien avant qu'il fasse nuit, quelqu'un frappe à ma porte. Agacé, je reste étendu, méfiant – ici on a rarement de belles surprises –, puis, séance tenante, je me retrouve sous la couverture comme à l'âge où, tout petit et en grande peur, je voulais que des cognements se taisent. Ils continuent. Qui ça peut être? Je ne tiens pas vraiment à le savoir.

Ils diminuent et cessent; je respire mieux. Enfin, je vais m'endormir.

«Toc, toc...»

C'est de ma fenêtre que les toc toc toquent maintenant. Raidi par la crainte, soulevant un coin du drap, je scrute. Dehors, un jour plein de soleil se pavane encore. Dans ma cachette, c'est la nuit.

«Toc, toc, toc...»

Des coups vifs frappés dans la vitre résonnent, et je sursaute à chaque percussion. Je sors de sous le drap et, des yeux, je fouille le châssis. Je distingue une masse, une tête qui se presse contre le carreau. Deux mains rondes couronnent le visage collé. Une grosse tête, deux grosses mains c'est... C'est elle! Rose! Je n'en suis pas sûr, mais je gagerais un 2 $ que c'est bien elle et je ne crois pas que je perdrais ma gageure.

Pourquoi est-elle là?

Je replonge dans mon noir.

— Ouvre-moi!

C'est bien Rose; sa voix est calme, même aimable.

— Allez, voyons!

Allez, voyons! Je ne veux pas t'ouvrir! Dans ma cachette, seul avec ma paix, je suis en sécurité. Puis, un craquement craque. Je ne bouge pas. C'est quoi ? Je suis pris au piège ; je ne peux pas voir Rose et je la sais là. Bon, c'est assez, lève-toi ! Ce que je fais. J'aperçois Rose, épaisse et monstrueuse, qui force pour ouvrir ma fenêtre pour pouvoir pénétrer dans l'intimité de ma chambre. Occupée à s'échiner, elle ne remarque pas que je l'observe, debout et nu. Puis, hésitante, Rose replace ses larges pattes autour de son visage et s'assure que c'est bien moi qui suis là, ensuite, que je suis bel et bien à poil. Convaincue, elle dévore mon pénis de regards, lui sourit, se pourlèche les babines. Franchement, Rose est cochonne ! Ses lèvres goulues et molles mangent la vitre, la sucent, et sa langue roule dans la cavité rouge de sa bouche.

Ses cochoncetés sont destinées à mon membre viril, mais il demeure calme, comme moi.

— Ouvre, je veux te parler. Dépêche, quelqu'un va finir par nous surprendre.

Quelqu'un va finir par nous surprendre ? Elle oui, mais moi je ne crains rien, je suis chez moi. Je n'ai pas envie d'ouvrir à Rose, je me doute de ce qu'elle veut et je n'y tiens pas.

— Non ! On n'a rien à se dire !

— Mais on a à faire !

Ensorceleuse, envoûtante, vicieuse, Rose est tout à la fois ; énorme et belle aussi. Ses traits, toujours délicats, se sont terriblement épaissis ; néanmoins, elle apparaît plus qu'appétissante pour quelqu'un qui ne s'est pas gavé de cul depuis des lunes. Mes pensées la modèlent : un saint-honoré onctueux de crème Chantilly. Et ses rondeurs ? Ah ! ce sont des gros choux glacés au sucre !

Hélas, je n'aurais pas dû jouer à ce jeu, car « il » est séduit ; mon pénis la lorgne. Rose et « il » se désirent, je suis de trop.

— Non ! Je lui crie : Demain à l'école !

Elle fracasse la vitre d'un coup de poing et disparaît en serrant sa main ensanglantée. Je me recouche. Peu de temps après, grillons et grenouilles se racontent ce qui vient de se passer.

Non !

À la fin de la journée, la classe vidée de tous ses cris et de ses rires, j'aligne les pupitres à leur place quand j'entends l'escalier craquer ; c'est elle ! Rose surgit dans la porte ouverte, sa main droite bandée. Elle s'empare d'une des chaises renversées sur chaque pupitre et s'assoit dessus ; je reste debout, là où je suis.

— Tu pars ! Mens pas.

Je ne veux pas mentir ; je me tais.

— Il fallait que je gâche tout !

Pourquoi lui demander ce qu'elle a gâché ?

— Tu comprends, j'ai cinquante ans et… un peu plus. C'est pas facile ici d'avoir de la compagnie. Eh c'que je m'ennuie ! Le seul moment où j'ai été heureuse c'est à ton arrivée. Tu te souviens ?

Je ne veux pas de ce souvenir-là.

— Je t'ai aimé, tu sais. Tu le sais ? Je serais partie avec toi si tu l'avais exigé. Tu y as pensé ?

C'est déjà difficile de s'accorder seul ; elle me contraint à penser à nous deux formant un couple. Terrifiant !

— Tu parles pas beaucoup. Est-ce que tu m'aimes un *tout-tit peu* au moins ?

En même temps qu'elle minaude des idioties infantiles, Rose se lève. Ses hanches frôlent au passage les bureaux qui se tassent. Ils se poussent, moi pas. Je suis brave ! Le rangement que j'ai accompli avant qu'elle entre, ses rondeurs disproportionnées le défont. Proche de ma bouche, elle redemande :

— Tu m'aimes ?

C'est d'une tristesse ! Un trouble voilé dans les profondeurs de son regard de névrosée la possède. Je réponds :

— Non !

Aussitôt, Rose s'écarte, accroche à ses mâchoires un sourire haineux et, lentement, elle recule. Sa croupe violente bouscule pêle-mêle les meubles si bien rangés il y a quelques minutes. Elle caresse deux petites tables et, rageuse, les projette férocement sur les autres. Ses mamours sont pour moi. Rendue près de la porte, Rose s'appuie au chambranle et affirme d'un trait :

— Idiot, je sais que tu m'aimes pas. Moi non plus je ne t'aime pas. J't'ai jamais aimé. C'que je veux c'est baiser avec toi. Tu veux ?

Ma tête dit Non ! (Mais si je n'avais pas eu de tête...) Furieuse, Rose attrape *la* chaise, celle qui est de trop dans la classe et que je garde, telle une orpheline, près de l'entrée. Quand elle m'arrive en plein front, j'ai juste le temps de me jeter à terre et quand je me relève, Rose n'est plus là.

Je prends le chemin de ma remise, mais auparavant je fais un petit détour par le bureau de poste.

Miracle ! La lettre s'y languit. Je la presse sur mon cœur battant, heureux, follement heureux. Tout le trajet, je pense «Je suis sauvé !», sans être capable d'ouvrir l'enveloppe. Pas tout de suite ! Je savoure ma gaieté comme un restant de chocolat sur la langue ; je cours sur le sentier, criant d'une voix aphone «Je pars ! Je pars !».

Les jeux sont faits...

L'enveloppe en évidence sur la table, nous nous dévisageons longuement, elle et moi. Je m'enthousiasme. «Je pars ? Quand ? Quand ? Quand ?» Je la décachète. Les jeux sont faits, rien ne va plus ! La jeune enseignante sera ici dans quelques jours.

Il faut que je le dise à quelqu'un. À qui ? À Amandine !

Je vole vers elle ; un croisé au retour d'une croisade ! Mes enjambées s'allongent, jamais elles n'ont été aussi souples et mes jambes aussi fortes. Dans ma tête le mot bonheur, mot désappris, clignote. Il s'amplifie, euphorique ; je ressens de l'exaltation, de l'ivresse et une grande paix.

Arrivé chez elle, une grande paix m'irradie. Amandine est dehors et regarde vers le lointain. Elle ne me voit pas, je ne vois qu'elle.

— Salut !

Elle se retourne, son visage s'embellit d'une légère surprise et :

— Salut !

« Par où commencer ? » Dès que je me pose cette question mon bonheur s'assombrit, il perçoit qu'il sera « douleur » pour Amandine. Comment lui annoncer mon départ ? Pendant qu'elle retrousse les commissures de sa bouche et attend que j'articule quelques mots, moi je souris sans joie. Dans le silence, nos regards deviennent profonds, intenses, parce que nos âmes, nos cœurs ressuscitent notre jeune amitié.

— Tu pars !

Elle le sait. Le non-dit vient de me dénoncer. Sa tête lourde de chagrin s'incline, et je grave son « petit monde » dans ma mémoire pour ne jamais l'oublier. Mes lèvres balbutiantes sont inaptes à formuler des mots. Amandine s'approche et saisit mes mains qui pendent, elle les comprime très fort dans les siennes. Aucune parole n'est nécessaire entre nous. La pression de ses doigts se détend et, doucement, elle m'entraîne vers où elle veut.

Sur le sentier nous tournons ici et là, à la guise d'Amandine. Je prends un certain temps à m'apercevoir que nous sillonnons pas à pas le *Pays-Perdu*; toutes ces nombreuses randonnées que nous avons faites depuis notre première rencontre : la haie, le raccourci, les bonbons, le petit arbre, la clôture, sa maison, la cachette, l'église, le retour, la tombe de Chien-veau...

Arrêtés où il repose – dans cette course aux souvenirs, il ne manquait que Chien-veau –, nous parlons de lui quand je vois une planchette de bois où, malhabile, est écrit son nom, « Chien-veau ». Amandine me regarde. J'apprécie. Un sourire bref se réfugie sur ses lèvres pour se dérober aussitôt. Je murmure, ému :

— Tu te souviens...

Et je lui raconte *mon* Chien-veau; je me fais du bien. Ensuite, elle me raconte *son* Chien. Ce ne sont pas les mêmes images; nous rions, après nous pleurons. Puis nous revenons à notre point de départ. Lorsque Amandine délaisse ma main, qu'elle disparaît dans sa coquette maison, je suis en train de me fabriquer un souvenir de ce qu'elle a été.

Le kidnapping

Tout se passe on ne peut mieux. J'enseigne, Amandine est sémillante, débordante de coquineries ; Rose s'efface de mon champ de vision ; les gens ne me parlent toujours pas ; oui, c'est parfait ! Le compte à rebours rebrousse et, d'avance, je fête la venue prochaine de ma remplaçante.

Mes peurs *Rose* s'estompent progressivement, même que le courage me revient. Pour le temps qu'il me reste à enseigner ici, seuls les enfants sont importants.

Un soir, une lune pleine et invitante m'attire du côté du sentier. Elle ressemble à Rose, la lune : ronde, grosse, luisante – Rose luit, la chaleur l'accable. Je lui souris, pensant aux tic-tac qui égrènent le temps d'un rythme résolu et...

Je ne me souviens plus de rien !

Soudain, c'est le noir. Un abominable noir. Ma tête est douloureuse ; des odeurs d'humidité et de moisi m'enveloppent. Mes fesses sont au frais, posées sur la terre, je crois ; mes mains sont liées derrière mon dos ; mes yeux sont bandés et ma bouche est bâillonnée ; quelqu'un respire nerveusement près de moi. Qui est-ce ?

— C'est moi !

Pas encore Rose ! Mes lèvres muselées la questionnent : pourquoi je suis là ? Détache-moi voyons !

— C'est nous ! qu'une autre voix tonitrue.

Ces mots martèlent mon crâne qui me fait aussi mal qu'une cloche battue par un marteau. Je n'ai pas peur, car ma raison répète que rien de grave ne peut m'arriver et que, ce qu'ils veulent, c'est m'effrayer avec leur farce plate ; alors, ma raison et moi on se rassure :

« Y réussiront pas ! Y réussiront pas ! Y réussi... »

Tout à coup, on pique quelque chose dans mes cheveux. La douleur est si vive, je suis sûr que j'ai une énorme bosse.

Des doigts que je ne reconnais pas palpent, cherchent à détacher le bandeau qui fait de moi un nouvel aveugle, mais les doigts empotés griffent mon cuir chevelu.

— Ah! Laisse, imbécile!

C'est Rose qui vient de parler. Je pense la même chose : «Imbécile!» Rose tâte le tissu noué et, en moins de deux, je suis ramené à la lumière.

L'éclairage anémique et vacillant d'un fanal déposé sur le sol ne parvient pas à pénétrer entièrement la petite cave sombre. C'est bien sur de la terre que s'humidifie mon fessier. Des gens, debout, entourent la flamme tremblotante; je discerne le bas de leurs pantalons. Tout de suite, je reconnais celui de monsieur le maire. Comme je suis bâillonné, je grogne d'étonnement; le bas de ses culottes longues et fripées avance. Penaud, le maire bafouille :

— Je... ne voulais pas. J'ai été... forcé. Vous n'avez pas trop mal à la tête?

Pourquoi s'excuse-t-il? Il sait pour mon mal de tête? Je prononce mes mots de manière exagérée afin qu'il me comprenne, mais il continue :

— Rose raconte que vous allez partir. Pourquoi vous n'êtes pas venu m'en toucher un mot? Pourquoi?

J'essaie de lui répondre, mais le morceau d'étoffe s'enfonce dans mes molaires à force d'essayer de bien articuler.

— Chut! Je ne voulais pas! Vous le savez? Vous êtes jeune, impulsif, inconscient. Ah! Les jeunes! Assez, partons!

— Comment, «partons»? Me laisser ligoté, le cul piqué d'humidité? Je meugle mon désaccord sans le saisir moi-même. Quelle horreur! Dans la pénombre de la cave fraîche, les talons de leurs souliers, pas à pas, s'estompent. C'est un village de fous! de fous!

Une porte invisible et grinçante se referme; je suis seul.

À travers le verre noirci du fanal, j'observe la flamme prisonnière; elle danse de ses dernières lueurs. Du regard j'explore les poutres au-dessus de ma tête où pendent des toiles d'araignées effilochées; le fanal s'éteint subitement.

Je n'ai pas peur, je n'ai pas peur! Je me mens. Qui sait que je suis ici et où je suis? Là, oui, j'ai peur!

Mon mal de tête s'endort.

Quelle fin tragique!

C'est le grincement de la porte qui m'éveille. La clarté éblouissante qui me frappe en plein visage m'apprend que c'est le jour. Quelqu'un d'immense la voile. Pas la silhouette de... Ah non! Difficilement, Rose s'agenouille devant moi en prenant appui sur mes épaules.

Quelle lourdeur! Quel poids! Son haleine qu'elle me souffle au visage, entrecoupée de ricanements, pue le fond de tonneau.

—J'te l'avais dit...; elle rote des gaz alcoolisés à me soûler à mon tour.

Qu'est-ce qu'elle m'avait dit?

— ...que tu me le paierais!

Ah bon! C'est ça? J'ignore pourquoi, je m'en fous complètement. La nuit a apaisé mes craintes de ses conseils car, au fond de moi, je me dis que quelque chose finirait par se produire, quelque chose de favorable, de positif. «Il faudrait que ce soit vite parce que là...» les boutons de ma chemise se déboutonnent sans autorisation. Hystérique, Rose, dont le cœur n'est pas à la romance, tire dessus de tous côtés et la déchire, et le brave coton cède à ses assauts. Un crachin de postillons alcoolisés, à chaque coup porté à mon vêtement, bruine ma peau. Épuisée, Rose râle et happe de l'air moite, gueule ouverte. Ce qui m'a déjà vêtu d'originalité pendouille en lambeaux, j'ai froid et une chair de poule frissonnante picote mon corps.

—C'est de ta faute. Si t'avais été plus intelligent. Mais les hommes... les hommes... Ses dix ongles se plantent dans mes bras, comme l'accord plaqué sur un piano termine en beauté un mouvement musical.

Un cri impossible à retenir filtre le bâillon:

—Aïe!

Et elle radote :

— Les hommes, des beaux... Les hommes, des beaux...

Prêt à tout pour que cela finisse, je fais comme elle et radote dans le tissu toujours coincé entre mes dents :

— Les hommes, des beaux...

— Qu'est-ce que tu racontes ? Tu te trouves drôle ?

Ah ! maudit bâillon ! Je me trémousse, roule des yeux vers l'étoffe pour qu'elle l'enlève, ensuite nous trompette-rons « Les hommes, des beaux... » et nous nous balancerons de tous bords tous côtés, serrant nos mains.

— Arrête ! Arrête de rire de moi !

Rose me gifle. Impossible de parer les baffes qui boxent ma tête.

— Arrête ! que je supplie, un peu étourdi.

Qu'entend-elle ? Le contraire, faut croire, de ce que je crie ! Rose se déchaîne. Ses deux pattes autour de mon cou m'étouffent. Ma tête ballotte en avant en arrière, j'ai mal au cœur et je suffoque, le cul sur le sol, ficelé de partout, devant une grosse aliénée ; dernière image d'un étranglé.

— Rose ? Arrête ! Veux-tu ?

C'est son homme ! Qui l'envoie ? Passe-t-il par hasard ? L'important, c'est qu'il soit là au bon moment, au bon endroit pour récupérer sa folle. Il l'empoigne aux épaules pour la calmer, mais Rose ne l'entend sûrement pas comme ça, puisqu'elle continue de me secouer pendant que lui la secoue, pendant que moi je sens que je perds ma con-naissance.

Une fois Rose tombée à la renverse – Dieu merci, son homme se montre plus fort qu'elle –, il tente de la relever. Elle le repousse si violemment qu'il sort de mon champ de vision pour réapparaître presque en même temps que mes couleurs. Je suis sauvé !

Après s'être querellés violemment tous les deux, après quelques bonnes taloches reçues de son mari, le maire, Rose finit par « trouver son maître ». Longtemps, ils demeurent près de moi et respirent avec difficulté ; puis, le « maître » halète :

— Ici, on ne part pas. On attend une permission. Madame Lamothe espérait se défiler. Nous l'avons aidée, vous le saviez?

Bien sûr que non! J'imaginais un banal suicide. À présent, je comprends le : « Ils commencent à me faire... » écrit dans le livre de classe. C'était la peur, oui! elle a eu peur!

À cet instant, mon être veut se sauver, car, maintenant, j'ai carrément la frousse.

— Le curé également y est passé. Mais lui, il y a tant de temps, lui et...

« Le curé? Quel curé? » que je m'interroge.

— ... sa maîtresse.

Seigneur! la stupide histoire que Ballon m'a racontée : le curé parti avec une pauvre folle pour se payer du bon temps! Vais-je mourir? Quelle fin tragique! Trop jeune pour crever, je hurle des mots que personne ne traduit pour moi. Mes deux tortionnaires ne bronchent pas, ils n'essayent même pas de me calmer, et, une fois que je suis épuisé, Raoul me fait remarquer :

— Ça sert à rien, on ne peut rien ouïr de cette cave.

Rose rit. Il a certainement honte de sa mairesse épaisse; l'entendre s'esclaffer dans un moment pareil! Quel manque d'éducation! Il se courbe vers moi pour me chuchoter à l'oreille :

— Moi, jamais j'ai voulu, vous me croyez, n'est-ce pas? Pourquoi ne pas m'avoir prévenu? Pourquoi?

Rose, qui se monte toute une histoire avec ce qui se chuchote, crie :

— Parle pas de moi!

Pauvre inconsciente! comme s'il n'y avait qu'elle au monde sur qui s'entretenir!

Le maire ne se tait pas pour autant, mais j'ai un peu de difficulté à l'entendre, car Rose ne cesse de délirer dans sa paranoïa.

— Je vous aime bien. Je viendrai plus tard vous délivrer. Soyez prêt à partir. Loin, très loin.

Ma tête remue un Oui!

— Il y a un train aujourd'hui, ne le ratez pas!

Rose rage :

— Qu'est-ce que tu lui as dit ?

— Rien, voyons. Partons !

— Non ! Je reste !

Elle veut rester. Je ne veux pas ! Pour montrer mon désaccord je « gigote ».

— Si tu veux !

Comment ça, « Si tu veux ! » ? Mais, il part ? Il part, l'irresponsable, il part, il part...

« *Maman j'ai peurrrrr !* »

Je suis seul avec la cinglée. Yeux tournés vers la porte, elle attend que son homme s'éloigne, qu'il soit loin pour se pencher – encore cette chair démente supportée par mes épaules –, s'agenouiller. Dans la pénombre, ses rétines de louve brillent, avides. Concupiscentes, ses lèvres m'humectent le cou, le torse, le ventre, et ses doigts boudinés fouillent à l'intérieur de mon jeans. La fermeture éclair glisse, ma ceinture se déboucle et mes petites rondeurs sont soupesées. Les fesses nues sur le sol uligineux, je plie mes jambes et serre les cuisses pour empêcher Rose de faire ce qu'elle va faire ; rudement, elle les déplie. Son corps gras s'abat sur le mien. Je gémis. Elle se soulève et rampe à reculons vers mon bas-ventre.

Je pense à beaucoup de choses à la fois. À Amandine, à Jolie, à Chien-veau, à ma remplaçante, à la ville, aux oiseaux, à Jésus, à la vie, à la démence, à papa... et, secrètement, je braille « Maman j'ai peurrrrr ! ».

Seul

Je l'attends, le maire. Quelle heure est-il ? Rose n'a pas refermé la porte, ni remonté mon jeans avant de partir et, sur ma peau, des insectes intrigués patient entre mes poils. Honteux d'être dans cet accoutrement « Qu'est-ce que Raoul va penser ? », je serpente du bassin pour glisser le jeans sous mon fessier. C'est infaisable! Il pensera ce qu'il voudra! De toute façon, il connaît sa Rose.

Dans ma bouche, le bâillon détrempé dégouline. Il fait frais, et des frissons cavalent sur mon épiderme.

— Qui vous a mis dans cet état, à moitié... ?

Je tressaute, je ne l'ai pas entendu venir.

— Qui ?

Pourquoi joue-il à l'autruche ? Je ne veux pas, je ne peux pas le lui dire, pourquoi lui ferais-je de la peine ?

Je cherche à capter son attention :

— Hum, hum, hummmm...

L'air hébété et l'œil humide, le pauvre homme me fixe, puis il comprend et s'attaque au nœud du bâillon et le défait. Mes dents, mes lèvres, ma bouche, mes gencives me font horriblement souffrir.

— Enfin! Diaeu souâ loué! que je baragouine en toussant et crachant l'excédent de salive qui écume mes joues et ma gorge. Incapable de prendre une initiative, le maire, les traits tourmentés, se pose à nouveau toutes sortes de questions. Je l'exhorte à continuer à me détacher :

— Faites vite!

Il me détache. Mes poignets sont blessés par l'empreinte de la corde. Tandis que je les frotte, il délie mes chevilles. Comme mes poignets, elles portent les marque indélébiles d'un kidnapping.

Mais sachant que je suis libre, je suis content.

— Levez-vous!

Ankylosé, je trébuche. Le maire me soutient et m'aide à tenir debout.

— Merci!

— Vous me remercierez une fois que vous serez loin, très loin, vous m'entendez. Dépêchez-vous, Rose et les autres vont revenir. Partez! Courez!

Confus, je remonte mon jeans. Habillé d'odeurs perceptibles à cent lieues à la ronde, boitillant, je titube jusqu'à la porte ouverte. Le temps est clair, mais je ne vois pas de soleil. Qui sait ce qui s'est passé, ici, dans la cave humide, sordide? Je souris au jour.

Mes muscles crient leur besoin de gymnastique, je leur fais faire quelques flexions. C'est impensable que je puisse courir ; à chaque pas, je risquerais de tomber. J'en profite pour tenter d'en apprendre un peu plus.

— Pourquoi m'avez-vous kidnappé ? Raoul me dévisage du fond de la cave. Pourquoi ? Il ne m'écoute pas et demande :

— C'est Rose, n'est-ce pas ?

Pauvre Raoul, accroché à sa question à laquelle je ne répondrai pas. Il la connaît ma réponse.

Sur mes jambes qui ne se souviennent plus très bien comment marcher, je sors.

Je vous hais !

Sillonnant le sentier, j'hésite :

Je me sauve à travers bois ou je passe dans la remise prendre mes affaires ? Non ! je ne laisse rien ici !

Mes jambes se débrouillent de mieux en mieux ; elles réapprennent très vite à marcher et je me coule dans le décor. À la moindre feuille qui remue, je sursaute ; je ne veux pas être vu. Des peurs inimaginables m'importunent et, pour la première fois, un pressentiment me taraude. La pensée de ne pas réussir à m'enfuir me frappe en traître comme on assène une taloche sur la nuque. J'accélère et cours, j'entrevois le paysage familier qui ne me plaît plus. Intérieurement, je le maudis. Chaque caillou, chaque arbre, chacune de ses feuilles, je les hais.

— Je vous hais !

Je viens de hurler. Imbécile, tu ne dois pas !

Puis ma remise ensoleillée surgit, gaie de luminosité. Dans le soleil tout est toujours si féerique. Pourtant, je lui fais la gueule, j'entre et, avec des tâtonnements, sous le lit j'attrape ma valise, y fourre pêle-mêle mes effets. J'enfile un autre jeans, une chemise qui traîne et : Adieu !

Ahhhhhhhhhhh...!

Maudit bavardage intérieur! Chaque foulée qui me rapproche de la liberté se plaint :

Les enfants? Qu'est-ce qu'ils vont devenir?

J'm'en *chrisse*!

C'est pas vrai!

Laisse-moi tranquille!

Tu dis n'importe quoi.

Oui! j'étouffe ce que je ressens. Un sentiment de culpabilité se trame seconde après seconde dans mon cerveau et ralentit ma marche vers la délivrance. Pourtant, je suis las du *Pays-Perdu*, je ne veux plus y vivre. Les enfants s'en sortiront! Nous avons tous d'impalpables forces insoupçonnées.

Le remords me dévore et je ne suis même pas dans le train qui m'amènera loin d'ici.

— Qu'est-ce que tu fais?

— Ahhhhhhhhhhhh...!

J'échappe ma valise qui s'ouvre dans sa chute, tellement Amandine vient de m'effrayer. Rassemblant mes effets, j'évite de la regarder. Elle s'esclaffe :

— Attention, tu vas l'abîmer!

Menue, Amandine s'assoit sur la valise. Le couvercle se rabat, mais pas suffisamment pour se fermer. Elle rit et je suis bouche bée, moi l'imbécile qui suis déjà ailleurs.

Entendre son rire mine le courage qu'il me faut pour partir. Pour en finir au plus vite, je m'assois à ses côtés, sur ma valise. Elle pousse un cri semblable aux charnières qui s'arrachent : franc et bruyant. Si le temps me manque pour me dérider du comique de la situation, toutes mes pensées se laissent assaillir par la joie pénétrante d'Amandine. Et je l'admire. Toujours aussi belle, je l'aime toujours autant. Chaque fois qu'elle est là, je suis heureux! Je ris avec elle.

Ensuite, plus de rires, plus de mots, nous nous apitoyons en longs regards tendres et je me blottis contre elle, l'entourant de mon bras. Qu'il est difficile de délaisser le bien-être!

— Tu sens pas bon. Je pensais que t'étais parti.

J'apprends ce que mes kidnappeurs ont raconté aux enfants sur ma disparition.

Son parfum, son essence, je les renifle, le nez dans ses cheveux; peiné, je ne bouge pas.

— J'ai de la peine !

Son balbutiement m'émeut et je me mets à chialer. Une larme coule, puis plusieurs gouttelettes tièdes et salées roulent sur mes joues. Lorsque Amandine entrecoupe de hoquets larmoyants la même phrase, «J'ai de la peine !», un geyser jaillit de mes yeux, de ma bouche, de mon nez. Mon corps se liquéfie. Je ne fais pas pitié à voir, je suis simplement ce que je suis, j'éprouve ce que je ressens. Les bras de ma gentille amie m'enserrent et, pendant une éternité, nous pleurons le même déchirement. Nos larmes nous échappent, abondantes comme un essaim de pleurs intarissable.

Je ne sais pas combien de temps dure une éternité, suffisamment longtemps pour que la lumière du jour blêmisse d'ennui en tout cas !

Muni d'assez de forces pour quitter Amandine, je dénoue notre étreinte. Nous allons nous serrer la main, quand ma gentille amie s'accroche et sanglote :

— Non ! Maurice, pars pas ! Tu te souviens des bonbons ? Tu te souviens de Chien ? Tu te souviens de la classe ? Tu te souviens... Tu te souviens...

Bien sûr que oui ! C'est si pénible de reléguer cette fillette dans mes «souvenirs», je n'ai pas besoin qu'elle les éveille ! Je suis impuissant à la faire taire; elle monologue, ressasse nos bons moments, puis elle n'est plus qu'un murmure. Ses sanglots se sont taris. Au bord de l'épuisement, Amandine vient de pleurer son cœur d'enfant; les yeux clos, elle ressemble à une belle endormie au bois. Je la prends dans mes bras et j'enfouis sa frimousse encore ruisselante dans mon cou; attendri d'une débordante tendresse, je fredonne «Bonne nuit cher trésor...»

Ai-je le temps de chantonner ? Je dois ficher le camp de ce trou perdu. Perdus, les gens d'ici le sont. Perdu, je vais l'être si je reste plus longtemps ! Ne voulant pas abandonner ma belle seule dans le bois, je décide de la ramener et de la coucher dans mon ancien chez-moi. Là, elle sera à l'abri ! Je pousse du pied ma valise dans un buisson pour ne pas m'encombrer d'elle, et je pars.

Presque arrivé, j'imagine ma remise espiègle derrière l'énorme pin qui s'amuse à me la cacher comme d'habitude. Horreur ! Ils sont deux à m'attendre : la remise et la grosse Rose qui, à coups de gueule et à coups de poing, rosse la porte qui tremble. Pauvre imbécile ! Tourne la poignée. Pourquoi barrer une porte que tu n'ouvriras plus ?

Le temps fuit, Maurice ! Je suis obligé de coucher Amandine au pied du pin – elle se laisse faire, dort-elle vraiment ? –, ensuite, j'imite un jappement pour attirer l'attention de Rose qui vomit mon nom à en changer la couleur des feuilles ; elle se retourne menaçante. Les poings serrés sur ses cuisses elle avance et rugit :

— Ah toi, Fetitclair !

Je plonge dans un bosquet feuillu, et surgit une chienne enragée qui dépasse Amandine. Rose est sous l'emprise d'une furie vengeresse. Beaucoup plus loin elle s'arrête, fait demi-tour, revient vers Amandine et lui crie :

— Qu'est-ce que tu fainéantes làààààà... ?

Elle fulmine près de sa petite-fille – qui l'est, petite – assoupie. D'une main, Rose veut secouer Amandine, mais son bras courtaud ne la rejoint pas. Trop grosse, Rose ne réussit plus à se pencher. C'est du bout de son soulier qu'elle réveille Amandine.

Amandine s'assoit pendant que Rose, qui ne tient plus en place, perd patience.

— Où il est ?

— Qui ?

— Maurice !

— Je le sais pas.

— Menteuse. Rentre à la maison !

D'un bond, lourdaude, Rose s'élance dans ma direction.

Je me sauve. Dans le buisson, je récupère ma valise et je me dirige vers la gare.

Mon Dieu !

Les doigts me font mal, j'avais oublié qu'ils étaient croisés ; je les dénoue, les masse et la douleur s'atténue.

Je me rappelle *un* bon moment que j'ai vécu ici : il s'appelle Amandine ; un autre : c'est Chien-veau. Moi qui voulais le tuer ! Amoureusement, sur les parois de ma mémoire, sa laideur sympathique s'accroche le long d'un corridor de souvenirs précieux.

Mon Dieu !!! Ma remplaçante ! La lettre. Où est-elle ?

Je fouille les poches de mon jeans et dans la valise ; elle n'y est pas et, comme toujours, ce qu'on cherche se terre dans l'endroit le plus proche : la lettre se trouve dans la poche de ma chemise. Je la relis.

C'est aujourd'hui ? Aujourd'hui qu'elle débarque ! Je l'avais oubliée celle-là. Qu'est-ce que je fais ? Qu'elle s'arrange !

— Non !

Je ne peux pas livrer la nouvelle institutrice à la merci du *Pays-Perdu*. Une autre pensée trace son chemin dans mon esprit : « De toute façon, si c'est pas elle, ce sera une autre personne, non ? » Oui ! je ne vais quand même pas devenir un phare protecteur ! Je ne suis pas un phare ! Je suis un homme habité de peurs depuis si longtemps, trop longtemps.

Tchouuuu, tchouuuu...

L'arrivée du train me pétrifie. Je jongle avec ma conscience qui me reproche d'abandonner la « nouvelle », tandis que lui roule, indécis, crissant sur ses rails comme un écervelé qui ne se souvient jamais de sa voie, halant quelques odeurs de ville, « la grande », pour me les dégueuler. Je vérifie l'heure ; d'un moment à l'autre mon train devrait cacher celui de ma remplaçante. Je savoure chaque fraction de seconde qui me rapproche de ma nouvelle vie et frissonne de joie. Excité, je me déplie, saisis ma valise et me place au bord du quai pour le guetter. Ce sera le plus-beau-du-monde, plus beau qu'un train électrique offert à un enfant.

Au loin, j'entrevois mon train qui traînasse, il avance si lentement qu'il a l'air de ne plus vouloir s'aventurer dans la station. Il connaît les gens d'ici! Non! «Tu ne te préoccupes pas de la "nouvelle"!» qu'il me blâme.

— Non, ne recule pas, je t'en prie!

L'«écervelé» souffle, suffoque encore.

Maudit bavardage intérieur!

— Mon billet! J'ai oublié de l'acheter!

Je laisse tomber mon bagage et cours vers le guichet grillagé où un homme se garde. Il m'attend, puisqu'il me donne un ticket sans que j'aie à prononcer un mot. Au diable la monnaie! Je décampe. Il crie :

— Oh! Merci! C'est trop. À très bientôt, monsieur Petitclair!

— Oui, oui, c'est ça!

(Dernier mensonge au *Pays-Perdu*.)

Le train, mon plus-beau, est là, et, presque en même temps, j'aperçois une femme qui ploie sous le poids de ses nombreux sacs de voyage. Ma remplaçante! Il n'y a qu'une seule personne qui semble être descendue au *Pays-Perdu*.

Un homme, dans le train, hurle :

— En voiture!

J'hésite, incapable de faire *le* pas pour grimper dans mon train; intérieurement, je rouspète : «Pourquoi dans la vie faut-il se préoccuper des autres?»

Parvenue à ma hauteur, la jeune femme me salue :

— Bonjour! Je suis la nouvelle institutrice.

Elle est mignonne!

— Bonjour, mademoiselle! Montez, voulez-vous!

Je garde un ton grave et, par bonté d'âme, prends ses sacs.

Mon train siffle d'impatience. Sur la passerelle, qui joint les deux seules voitures pour passagers, je bouscule ses affaires et y glisse ma valise. Ma remplaçante est stupéfaite. Après être monté, je l'embarque de force. Comme elle se débat, je me protège et m'étend sur elle, neutralisant son corps sous le mien. L'employé du train qui s'amène, ne devinant pas les causes de mon sauvetage, me harponne par le col de la chemise; j'étouffe. La vitesse du train devient folle, l'air aspire à tous les vents mes vêtements froissés que j'essaie de saisir au vol. La jeune femme m'injurie, ses genoux pointus me blessent aux cuisses; l'homme me taloche durement sur le crâne. C'est à ce moment-là qu'un monde inconnu, un monde meilleur, m'appelle à lui; je suffoque. Mes râles effraient le batteur de tête qui, rapidement, tapote mes joues et souhaite ma résurrection. Toujours échoué sur ma remplaçante, je ne bouge pas; elle, ahurie, me dévisage avec un embarras qui fait penser à la maîtresse terrifiée à la vue de son amant qui crève sur ses formes hautement dévastatrices! J'esquisse un demi-sourire. Elle m'écarte et se tasse sur le côté. Après quelques bonnes inspirations, je vais mieux. Je m'assois, je tends la main à la jeune enseignante pour l'aider à s'asseoir; elle frappe farouchement mes jambes avec ses talons, rageant contre moi. Ingrate! Moi qui lui sauve la vie! Au même instant, le surveillant, qui me soulève en me ramassant par derrière, me serre si fort qu'il m'est impossible d'éviter l'assaut de ma remplaçante.

— Arrêtez! Laissez-moi m'expliquer!

Agenouillée, elle ne se soucie pas de la force de ses poings et cogne, cogne. Le surveillant se décide à énoncer quelque chose :

— Mais oui, qu'il s'explique voyons!

Ce cri du cœur immobilise la «nouvelle», l'œil hagard. Ses mains s'agrippent à mon jeans, ses ongles se plantent dans mes cuisses.

— Pourquoi t'as fait ça? Elle me tutoie.

Le contrôleur s'éloigne, mais je ressens encore dans mes muscles et mes os son empoigne énergique. Je retends craintivement une main à la fille, qui la repousse. Pour se remettre debout, elle se cramponne au rebord de la voiture qui nous ballotte à vive allure. Du bout de mon pied, je «shoote» ma valise dans le vide. Adieu souvenirs!

— Pourquoi tu m'as fait ça, imbécile?

— Ce serait long à expliquer.

— Quoi ? Tu penses t'en sortir sans rien dire ? Es-tu fou ? malade ?

— Oui !

— Oui quoi ?

— Oui, je vais t'expliquer. Viens près de moi.

— Non ! Je ne veux pas. Je t'écoute d'i-c-i !

Je lui raconte. À la fin de mon incroyable histoire, je suis fier d'avoir sauvé cette jeunesse aux rotules acérées ! Je ne le suis pas longtemps.

— Malade ! C'est vrai, t'es un malade !

Plus violemment que tout à l'heure, complètement hystérique, elle me tape dessus. Je voudrais parer sa « folie », je n'y arrive pas. Le contrôleur apparaît.

— Monsieur ! Jamais on ne frappe une femme, voyons !

Alors, l'homme du train et ma remplaçante, en totale harmonie, me battent. Les coups pleuvent. Une main surgit, me gifle ; des coups de pied meurtrissent mon mollet ; des doigts sournois se compriment sur mes parties ; des dents attaquent mes cuisses.

Je regrette d'être parti du *Pays-Perdu*. Là-bas, ils ne mordent pas !

— Assez ! Reprenez-vous ! que je gémis.

Essoufflés, les deux s'arrêtent. Je ne peux voir l'institutrice ; les avant-bras du contrôleur, qui m'étuve la nuque de son haleine chaude, la cachent ; mais, haletant en accord avec lui, elle peste :

— Je ne te crois pas !

Sa tête de clown bondit aux secousses du train. Je la regarde. Sa dernière phrase nous paralyse, le surveillant et moi ; nous avons le même air étonné. Je me demande : « Qu'est-ce qu'elle ne croit pas ? » et lui : « Pourquoi, elle ne le croit pas ? »

Le convoi, aussi ahuri que nous, ralentit. Je perds l'équilibre, quand, brusquement, l'homme du train me lâche. Il déguerpit, soliloquant. Tout de suite je pense au *Pays-Perdu*.

Les petits patelins se ressemblent avec leurs cloches d'église qui gueulent leur ennui à la ronde ; leur école, leur épicerie, leurs sentiers, leur fleuve et peut-être leur bar ? Ils ont, aussi, *leurs* peurs qui rôdent. J'espère qu'une Amandine gambade. Ah! Amandine!

— Je ne te crois pas!

Elle dérange mes pensées avec sa phrase colérique; mais mon esprit batailleur protège les traits flous d'Amandine et ses yeux noirs, Amandine et ses dents ivoirines. Ses sourires, ses regards, ses gestes, ses zézaiements, ce qui a adouci mes années au *Pays-Perdu*. J'ai une enfance, maintenant; je laisse couler mes rires, mes larmes, et la «grande» ville, ou quoi que ce soit, ne m'effraie plus. Chaque coin perdu a ses peurs; et on se connaît, on s'épie, on se jalouse; et on s'isole, on se rapetisse et nos peurs grandissent. Pourtant, en réalité, nos peurs ne sont qu'appréhensions, ni grandes, ni petites; il faut s'apprivoiser, simplement.

— Réponds-moi!

— Quoi?

— J'ai besoin de cet emploi.

— Vas-y, tu verras.

— C'est ce que j'vais faire.

Elle rassemble ses bagages pour être prête à descendre bien avant que le paysage cesse de galoper. Robe chiffonnée, cheveux décoiffés, lèvres pincées, yeux soucieux; elle façonne son apparence de ses espoirs, et son allure reprend son calme; la nouvelle institutrice redevient souriante.

Secrètement je lui souhaite «Bonne chance!»

Le train fait sa halte. La jeune femme et ses sacs se retrouvent sur le quai d'une gare inconnue sans personne pour l'accueillir, ni bouche pour souhaiter la bienvenue.

Nos bras se balancent longtemps, longtemps après que la suie eut fini de cracher son éternel train-train.

...pour mon bon plaisir

Amandine, Jolie, Chien-veau déambulent dans mon imagination, et pour mon bon plaisir...

Ensemble, nous marchons sur les cailloux; je recaresse Jolie, son corps que je n'ai pas suffisamment aimé; ses yeux, sa bouche, ses seins ; son ventre qui aurait pu porter l'enfant que je n'ai pas encore, qu'un jour j'aurai ; son sexe où j'aimerais dormir une nuit étoilée pour le respirer, l'admirer, l'embrasser comme une bouche aimée.

J'arrête le temps. Il n'y a que le *cœur* qui puisse accomplir ce prodige.

Dans ce que m'a appris le *Pays-Perdu*, dans toutes ses peurs, il y a l'espoir que je conserverai précieusement. L'espoir que mes enfants s'en sortiront, l'espoir que Jolie…, l'espoir qu'Amandine l'aidera, l'espoir que je n'oublierai jamais Chien-veau.

Dans ce que m'a appris le *Pays-Perdu*, dans toutes ses peurs, il y a l'amour que je conserverai précieusement. L'amour pour mes enfants qui s'en sortiront, l'amour pour Jolie, l'amour pour Amandine qui l'aidera, l'amour pour Chien-veau.

Le *Pays-Perdu* m'a murmuré, dès le premier jour, que toutes mes peurs représentaient mes désirs cachés, très bien cachés. Jamais je n'oublierai ! Aussi, je sais maintenant que plus la peur est grande plus le désir est puissant.

Je dois avoir de grands désirs pour avoir eu si peur !

La fin

Il n'y a rien de plus attristant ni de plus déroutant qu'une fin. Heureusement, elle nous laisse un peu plus loin, juste devant une porte nommée *Désirs*.

« Tout est possible ! Tout est faisable ! » Papa avait raison !

Je suis content d'être rendu au…

…début

Oui ! je suis heureux de ne plus être habillé de mes vieilles peurs.

Sur la passerelle de la voiture du train, à chaque arrêt, je regarde descendre ou monter des gens.

Je me figure Rose et ses semblables arrivés trop tard, hors d'haleine, à la gare. Le maire, lui, ne se montrera pas pour avouer à la «nouvelle» : «Il y a si *feu* de monde qui *feut fenir* ici!»

Je rassure le contrôleur : «Non, je n'ai pas jeté la demoiselle hors du train, elle est partie au *Pays-Perdu*.» Il me toise pour affirmer très sérieusement :

— Je vous ai à l'œil!

Pour la première fois de ma vie je prends une décision. Pour la première fois de ma vie, ce n'est pas une rupture qui me pousse ailleurs.

Je ressens, incapable de sourire et de rire cette fois, une partie très profonde de mon être. Cette partie qui fait que nous sommes nés fort, cette infime partie qui décuple notre courage, nos forces, cette partie qui rend l'homme conscient d'être un immortel guerrier : son âme?

La vie ne m'est pas imposée, elle m'attend pour que je la vive, elle me défie de vivre.

J'aime m'imaginer en guerrier. C'est si nouveau pour moi.